DÉFENSE D'ENTRER ! 2

HISTOIRE DE PEUR

CAROLINE HÉROUX
AVEC LA COLLABORATION DE CHARLES-OLIVIER LAROUCHE

Catalogage avant publication de Bibliothèque et Archives nationales
du Québec et de Bibliothèque et Archives Canada

Héroux, Caroline, 1970–

Défense d'entrer!
Pour les jeunes de 10 ans et plus.
ISBN 978-2-89714-128-8 (vol. 2)
I. Titre.

PS8613.E756D43 2014·   jC843'.6   C2014-940388-7
PS9613.E756D43 2014

Direction littéraire : Annie Ouellet
Révision linguistique : Aimée Verret
Conception graphique : Julia Chhoy
Correction : Pascale Matuszek
Mise en pages : Anne Sol
Photo : Mathieu Rivard

Dépôt légal : 4ᵉ trimestre 2014
Bibliothèque et Archives nationales du Québec
Bibliothèque et Archives Canada
© Les Éditions de la Bagnole, 2014
Tous droits réservés pour tous pays
Isbn : 978-2-89714-128-8

GROUPE VILLE-MARIE LITTÉRATURE
Vice-président à l'édition
Martin Balthazar

ÉDITIONS DE LA BAGNOLE
Éditrice
Annie Ouellet

Groupe Ville-Marie Littérature inc.
Une société de Québecor Média
1010, rue de La Gauchetière Est
Montréal (Québec) H2L 2N5
Tél. : 514 523-7993, poste 4201
Téléc. : 514 282-7530
info@leseditionsdelabagnole.com
leseditionsdelabagnole.com

Nous reconnaissons l'aide financière du gouvernement du Canada par l'entremise du
Fonds du livre du Canada (FLC) pour nos activités d'édition.
Nous remercions le Conseil des arts du Canada de l'aide accordée à notre programme
de publication.
Les Éditions de la Bagnole bénéficient du soutien financier de la Société de développement
des entreprises culturelles du Québec (SODEC) pour son programme d'édition.
Gouvernement du Québec – Programme de crédit d'impôt pour l'édition de livres – Gestion
SODEC.

24 JUIN. (Ou plutôt = *41* dodos avant mon départ pour le camp, yé!!) Je suis dans ma chambre, assis par terre, au pied de mon lit. **FRILEUX** 'est collé sur moi. Il pleut à boire debout.

** Euh, pas dans ma chambre, dehors.

Il n'y a pas grand-chose à faire à part écrire!!

P.-S. : ** Je ne suis **PAS** en pénitence en ce moment (même si je le mériterais parce que... euh... oublie ça, je n'ai pas laissé de traces, ça serait bête de me faire prendre parce que je l'ai écrit dans ce ~~journal~~ carnet).

P.-P.-S. : ** Ma mère (la sorcière) ne peut pas le prouver, mais, comme elle sait tout, elle **OSE** me punir.

INCROYABLE, HAN??????

P.-P.-P.-S. : ** Je nie **TOUT** pour qu'elle se sente mal.

P.-P.-P.-P.-S. : ** Pas sûr que ça fonctionne, mais bon. (Ma mère ne se sent jamais mal lorsqu'elle me punit. On dirait même qu'elle aime ça.

C'est pas gentil, han?? C'est pour ça aussi que je la surnomme –

en secret – **LA SORCIÈRE**.)

Bon, récapitulons les derniers jours:

Le *22 JUIN,* maman m'a annoncé que j'irais
passer deux semaines au même camp que mon meilleur
ami, Max. (qui, avec William, fait partie des trois mousquetaires),
et que mon cousin Joje (qui est plus vieux que moi de huit
mois). Mais Max et Joje ne se connaissent pas. Comme
ma mère est parfois, genre, un peu poche – à ne pas
répéter d'ailleurs, je prends des gros risques en l'écrivant
dans mon carnet –, je suis sûr qu'elle n'a pas pensé à
demander au camp qu'on soit dans la même cabane
(parce que ma mère ne pense **PAS** à ces affaires-là. C'est, genre,
PAS important pour elle).

P.-S.: ** Je suis sûr que Max et Joje vont
être ensemble, et que moi je serai **LOSER** tout
seul avec des inconnus. En plus, je vais être obligé
de faire semblant d'être content quand je vais
rencontrer les autres de ma cabane. ~~AAARGH~~,
j'haïs ça, être le loser de la gang. Mais ça tombe
toujours sur moi, on dirait.

Quelques secondes de réflexion plus tard...

P.-P.-S.: ** Avec la malchance que j'ai, c'est sûr
que Max et Joje vont être ensemble, sans moi. (☹) (☹)

P.-P.-P.-S.: ****** Et que je vais être dans la cabane des **poches / losers / nerds / épais**.

* *TROP POCHE*

Mais là, on est le **24 JUIN**. C'est la fête de la Saint-Jean, pour les Québécois. Tout est fermé et c'est le bordel. Mais ce n'est pas ça que je veux dire. C'est que je viens d'apprendre que je n'irai pas au camp avant le **4 AOÛT!!!!!**

{ **** OU, PIRE ENCORE: 41 DODOS!!!!** }

C'EST LONG, ÇA!!!!!

Qu'est-ce que je vais faire jusque-là?? Il reste environ six semaines avant que je parte.

Plus tard (**vers 13 h 18 environ**), je lui ai posé la question dans la cuisine en fouillant dans l'armoire pour trouver des chips.

P.-S.: ** J'en trouve toujours, mais elles ne sont jamais bonnes, parce qu'on n'en mange pas souvent et elles ramollissent. C'est **DÉGUEU**, des chips molles. J'ai donc pris des galettes de riz **GRANOS** que ma mère achète en disant que ça goûte pareil, mais que c'est meilleur pour la santé.

※※ ÇA GOÛTE

TELLEMENT PAS PAREIL!!

Donc, revenons à nos – euh, à mes – moutons (expression). J'ai posé la question à ma mère:

Moi: Qu'est-ce que je vais faire pendant *41* **DODOS**?
Maman: Des camps de jour, comme chaque année.
Moi: C'est nul, des camps de jour...
Maman: Ah oui? Depuis quand?? Tu me supplies chaque année pour aller au camp de soccer, de tennis, au multisports... Tu me dis que tu adores ça!!
Moi: Oui, mais ça, c'était <u>avant</u> de savoir que je partais deux semaines au

KAMP P.

** C'EST LE NOM DU CAMP. MÊME SI LE MOT « CAMP » S'ÉCRIT HABITUELLEMENT AVEC UN « C ».

En plus, pourquoi je ne peux pas partir tout l'été, comme William**?

P.-S.: ** William est le troisième mousquetaire. C'est notre nouvel ami. Il est vraiment

** Mais on n'en parle pas parce que c'est pas gentil.

SÉRIEUX, il mange tout le temps. Et, quand il ne mange pas, ben il grignote. Je sais, ça n'a aucun sens, mais c'est comme ça.

P.-S.: ** Il part pour sept semaines dans un camp aux États-Unis. Il était très déçu de savoir que Max et moi allions au même camp... Mais lui, il est, genre, dans un Club Med pour enfants = c'est le camp le plus cool des États-Unis. C'est sûr, ses parents ont full **ca$h**, ils peuvent l'envoyer où ils veulent.

** Moi, je pense qu'ils ~~l'envoies~~ l'envoient à l'autre bout du monde – façon de parler – pour ne pas l'avoir dans les jambes.

Maman: Lolo, tu sais bien qu'on n'a pas les moyens de t'envoyer tout l'été au camp! En plus, je m'ennuierais bien trop de toi!!

P.-P.-S.: ** (dans ma tête)

TELLEMENT PAS, MOI!!!!!!

P.-P.-P.-S.: ** Je ne peux pas dire ça tout haut, je dois faire attention à ce que je dis, sinon elle va me jeter un sort et je serai foutu pour la vie. Ben, en tout cas, je ne serai pas en pénitence juste cet après-midi. C'est

PRE**S**QUE aussi pire.

Oh oh, elle me regarde avec ses yeux de sorcière. On dirait qu'elle peut lire dans mes pensées. J'ai le goût de lui crier:

« *ARRÊTE DE ME REGARDER COMME ÇA!!!* »

** **Sérieux, c'est** troublant.

Je la fixe. Elle éclate de rire.

Maman: Je sais ce que tu penses.

P.-P.-P.-P.-S.: ** Je la crois.

Maman: Que tu serais bien sans nous pendant sept semaines.

Moi:

** Même si je ne l'ai pas dit fort.

SÉRIEUX, COMMENT ELLE FAIT POUR SAVOIR ÇA, ELLE????

Je le dis et le redis, cette femme est ~~makiavé~~ machiavélique. (**Déf.: Digne de Machiavel ????? = c'est qui, lui?? Dans le dict, on dit que c'était quelqu'un de rusé, perfide, tortueux. Je ne comprends pas plus ce que ça veut dire, mais bon. Le dict est dans la chambre de Mémé, c'est pour ça que je suis allé le chercher. J'aime ~~trouvé~~ trouver des excuses pour fouiner dans la chambre de ma ~~sœur~~ demi-sœur. Héhé.**)

<u>Disons plutôt:</u> **DÉMONIAQUE****. (Qui vient du démon. Moins compliqué à expliquer et / ou à comprendre pour décrire ma mère.)

Même si elle est quand même une bonne mère... ben, une pas pire mère.

** Mes mains deviennent moites.

Moi: Euh... non. Je... vais m'ennuyer de vous, voyons. Qu'est-ce que tu dis là, m'man?

{ *P.-S.:* ** IL FAUDRAIT QUE JE M'ENTRAÎNE À MENTIR, JE SUIS VRAIMENT MAUVAIS. }

13

Maman: Je ne te crois pas. Tu n'es pas un bon menteur, Lolo.

P.-S. : ** **JE SAIS,**

JE SAIS,

JE SAIS!!!!

Mais elle me fait un petit clin d'œil en souriant.

FIOU!!!!!!!

** Elle n'est pas fâchée.

Elle termine ce qu'elle faisait : <u>nettoyer</u>. **ENCORE.**

** On dirait qu'elle fait juste ça, nettoyer la cuisine, ou la maison. Mais, d'un autre côté, elle est obsédée par le ménage. Dès qu'il y a la moindre miette sur le plancher, elle panique et sort le balai. Papa, lui, il s'en fout pas mal, des miettes.

Maman: Oh, en passant, j'avais oublié de te dire... J'ai demandé que tu sois dans la même cabane que Joje ou Max ou les deux au KAMP P.

Moi (dans ma tête):

P.-S.: ** Je la regarde avec des gros yeux (car je me souviens de ce que j'ai écrit à la page 8) et j'avale ma salive. Je pense que je vais retourner à ce paragraphe et effacer ce que j'ai dit.

Maman: Tu croyais que je n'y avais pas pensé, n'est-ce pas?

P.-S.: ** Euh, oui...

Moi: Euh... non...
Maman: Menteur.

Elle éclate de rire en quittant la cuisine (= cool, je vais pouvoir prendre un peu de chocolat sans qu'elle le sache).

** Elle me crie depuis le couloir:

Maman: Ne fouille pas dans les armoires pour du chocolat ou des chips, on mange bientôt!!!

SÉRIEUX?????

** Elle est freakante, cette femme. Pauvre papa. Il ne doit jamais pouvoir faire des choses dans le dos de ma mère, de peur de se faire prendre.

P.-P.-5. : ** Son rire résonne partout dans la maison. Je suis sûr qu'elle a la peau verte à quelque part sur le corps, comme la méchante sorcière dans le film *Le magicien d'Oz.*

P.-P.-P.-5. : ** Mais j'espère vraiment que c'est héréditaire et que je vais hériter de ses pouvoirs magiques. C'est trop débile comme elle est

Si j'avais des pouvoirs magiques, j'en ferais, des choses :

1) Je ferais stresser Mémé.
2) Je ferais stresser Lulu et @#$%?&ε (Tutu, mais moi je l'appelle «@#$%?&ε»).
3) Je ferais stresser mes parents (surtout ma mère).
4) Je... hmm... Qu'est-ce que je ferais d'autre??
5) Ah oui! Je pourrais me faire apparaître de la crème glacée quand je le voudrais!
6) À voir... Mais ce serait cool!!

Au moins, je sais que je vais être avec Joje ou Max. Ou les deux.

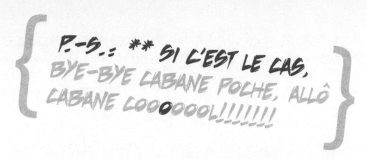

P.-S.: ** SI C'EST LE CAS, BYE-BYE CABANE POCHE, ALLÔ CABANE COOOOOOL!!!!!!!!

Bon, avant d'aller au camp, il faut que je me tape le camp de soccer, le camp de tennis (j'aime ça quand même) et l'Académie Culinaire. Ça, c'est vraiment cool parce qu'on apprend à cuisiner. Et on prépare des plats qu'on rapporte à la maison. Mémé (ma grande sœur ~~conne~~) fait toujours semblant que c'est pas mangeable (parce que c'est moi qui ~~l'ai~~ les ai faits), mais je sais qu'elle aime ça:

1) Parce qu'elle en mange tout le temps.

2) Parce que maman me l'a dit!

Les jumeaux, eux, aiment toujours tout ce que je fais, alors c'est pas très compliqué. Il y a juste Lulu qui n'aime pas les champignons. Oh, et @#$%?€, lui, il n'aime pas les champignons ni les bananes. Et, quand ça lui tente, il dit qu'il n'aime plus le brocoli, les carottes, les petits pois, les asperges, les poires, le melon d'eau. La liste est longue. Ça dépend de son humeur.

<u>Par contre, pour ce qui est:</u>

    1) des bonbons;
    2) du chocolat;
    3) des chips;
    4) du pain;
    5) de la « scrap » (cochonneries);

il aime toujours ça. Peu importe comment il se sent. (Ma mère rage dans ce temps-là. Moi, je ris. Héhé.)

entre dans ma chambre.

{ Même si c'est le chien de toute la famille, c'est plutôt maman qui s'en occupe. Sauf quand il pleut et qu'il fait froid dehors. Dans ce cas, elle se chicane avec mon père, qui finit par y aller pour qu'elle ~~se la ferme~~ arrête de chialer. }

Oh oh. **FRILEUX** est colleux. Ça veut dire qu'il veut aller marcher avec moi.

Moi: Frileux, je suis en train d'écrire, j'ai pas le temps.

MAMAN!!!!!

Pas de réponse. D'habitude, c'est mon père qui fait le sourd.

Ça y est, Frileux me regarde avec des yeux piteux. On dirait qu'il va faire ses besoins ~~dans ses culottes~~ dans ma chambre. **J'AI AVANTAGE À LE SORTIR.**

Moi: OK, viens. On va aller dehors.

Je laisse tomber mon crayon.

Deux heures plus tard: vers 16 h 32.

* * Je suis retourné dans ma chambre et je me suis assis au pied de mon lit. Mais je ne reste pas longtemps car j'ai la fesse engourdie.

NOTE IMPORTANTE:
*JE SUIS DANS MA CHAMBRE SEULEMENT PARCE QUE ÇA ME TENTE!!

Donc, on est le **24 JUIN** (encore, je sais, j'ai beaucoup de temps pour écrire, aujourd'hui) et c'est la Saint-Jean. Ma mère chiale (comme d'habitude) parce qu'elle n'aime pas la Saint-Jean, elle préfère la fête du Canada. Mon père, lui, il est ~~FOULE~~ FULL Saint-Jean, et il achète toujours des feux d'artifice. (* * Ça fait stresser ma mère, qui a toujours peur que ça lui éclate au visage. Elle a toujours peur de tout, elle. Mais je dois avouer que, l'année dernière, ça a pété trop vite et mon père s'est brûlé la main. Il s'en est bien sorti finalement, mais ça aurait pu être très grave.)

~~Faque~~ Ça fait que je n'en parlerai pas pour ne pas faire de chicane. J'haïs ça, moi, la chicane. Sauf avec Mémé. **J'ADORE ME CHICANER AVEC ELLE.**

** *C'EST VRAIMENT ~~FOULE~~ FULL COOL!!!*

** Plus on se chicane / engueule / obstine, plus *J'AIME ÇA*

2 JUILLET = 33 DODOS AVANT LE

KAMP P.!!

* * Enfin, on n'est plus le 24 juin!

(Au parc, pas loin de la maison, là où se passe le camp de soccer.)

Bon, le camp de soccer commence. Les jumeaux sont avec moi.
** Pas dans le même groupe, évidemment, parce qu'ils sont plus jeunes.

SOIR: En rentrant à la maison, vers 16 h 39

Moi: MAMAN!!!!!!!!!!

Maman: Je suis dans la cuisine!

{ (J'AURAIS DÛ Y PENSER.) }

J'entre dans la cuisine en trombe.

**(en coup de vent)

Maman: T'as pas l'air de bonne humeur.
Moi: Je ne le suis pas.
Maman: Pourquoi? Tu n'aimes plus le camp?
Moi: C'est pas ça. C'est à cause des jumeaux!!
Ils m'ont gossé toute la journée.

{ @#$%?& ET LULU ENTRENT DANS LA CUISINE AU MÊME MOMENT. }

@#$%?&: ♫ ♪ ♫ C'est même pas vrai!! ♪ ♪ ♫

(** À NOTER: Il chante en parlant, c'est gossant SOLIDE.)
♪   ♭ ♪
Lulu: ♪ On est juste allés lui dire bonjour. ♭ ♫♪
      ♫   ♫   ♪

DEPUIS QUAND ELLE CHANTE, ELLE???

Moi: Vous êtes venus au moins 15 fois!!!!!!
Lulu: Oui, mais c'est parce qu'on t'aime trop, t'es notre grand frère préféré.

Elle me regarde avec ses grands yeux.

TROP CUTE**

** MERDE.

⁂ (Ses yeux semblent se remplir d'eau – je ne niaise pas. Sérieux, elle va se mettre à pleurer et là je vais me sentir tout croche. ARGH, j'haïs ça quand elle est comme ça, elle sait que je vais me calmer.)

P.-S.: ** 1) Elle n'en a qu'un, grand frère, mais c'est pas grave, elle est quand même gentille de dire ça.

2) À bien y penser, techniquement, elle en a deux, car @#$%?& est plus vieux qu'elle de six minutes.

3) OK, elle est vraiment très cute, ma petite sœur, je ne veux pas lui faire de la peine.

4) AAAAAAARGH!

21

MAMAN ME REGARDE AVEC UN PETIT SOURIRE COMPATISSANT.

JE ME CALME UN PEU**.

1) Parce que ma mère me fait peur.
2) Parce que ma petite sœur est vraiment trop mignonne. Elle me fait craquer chaque fois!

Moi: OK. Mais pouvez-vous essayer de venir un petit peu moins souvent?
@#$%?&: Oui, mais tes amis ont l'air cool. J'aimerais ça que tu me les présentes. ♪♫♫ ♪
♪   ♫   ♫   ♪

** ~~Aujourdhui~~ Aujourd'hui, ça me gosse plus que d'habitude quand il chante (parle).

C'EST POURQUOI J'EN PARLE ENCORE!

** Je n'ai jamais le droit (euh... en fait, je n'ose jamais, alors je ne sais pas si j'ai le droit) de dire ce que je pense, alors je l'écris.

3 JUILLET = 32 DODOS AVANT LE CAMP.
** Le nombre de dodos ne diminue pas vite, je trouve...

** (Je pense que je vais inventer une machine à faire avancer le temps. Ça serait très pratique.)

<u>Plus tôt, dans la cuisine...</u>

**Toute la famille y est.

Le téléphone sonne. C'est William.

William: Salut, Lolo.
Moi: Salut, William!
William: Je pars demain pour l'été, j'espère que tu vas continuer à m'écrire, même si Max va être avec toi là-bas et que vous n'aurez pas trop le temps de penser à moi.
Moi: Arrête, William, ne dis pas ça!!

** <u>Note à moi-même:</u> Sérieux, faut pas oublier William, parce que ça va lui faire de la peine.

William: ...
Moi: Ça va?
William: ...
Moi: William, es-tu là?
William: Ouain... Je ne veux plus aller à mon camp, j'aimerais mieux aller au KAMP P.

** Moi aussi, j'aimerais mieux qu'il vienne avec nous. Mais je ne peux pas lui dire ça, parce que ça va lui faire de la peine.

Moi: Euh... (Je me sens trop mal pour lui.)
William: ...
Moi: Heille, ton camp est tellement meilleur que le mien!!

Maman:  LOLO!!!

23

** ZUT! C'est pas fort de dire ça devant
toute ma famille.

Moi: Euh... C'est pas ça que je voulais dire.

Je sors de la cuisine. Et, après m'être assuré que personne ne me
suivait...

Moi: Oui, c'est ça que je voulais dire.

@#$%?&:: MAMAN!!! LOLO DIT QUE SON
CAMP EST PAS LOOOOOOOOL.

** Ayoye!! Il sort d'où, lui?? Le p'tit ~~maud~~ bonyenne!
** Je ne l'avais pas vu.

Moi: Heille, toi! Va jouer dans le trafic!!
@#$%?&:: Han???
Moi: C'est une expression. Va jouer dehors!
@#$%?&:: J'ai joué dehors toute la journée!
Moi: C'est une expression, j'te dis!!! Dégage!!
Tu vois pas que je suis au téléphone avec William??
@#$%?&:: Oh! Dis-lui bonjour de ma part!!
Moi (je soupire): Mon p'tit frère te fait dire bonjour.
William: Il est donc gentil. Dis-lui bonjour de
ma part!
Moi (à @#$%?&): William te dit bonjour.

@$%?& SOURIT.

@#$%?&:: Dis-lui que je lui souhaite un bel été à son
camp de riches.

Moi (dans le téléphone): Il fait dire que...

P.-S.: ** Puis je me rends compte que je suis vraiment con.

Moi (à @#$%?&): Là, je vais m'énerver solide.

DÉGAAAAAGE!!

♭

@#$%?&: Dis-le-lui, pis je te laisse tranquille. ♪♫

JE ROULE LES YEUX.

Moi: Il te souhaite un bel été.
@#$%?& (fier): De toute façon, je vais lui écrire. ♫♪
Moi: OK.

J'ALLLUME...

Moi: Comment ça, il a ton adresse de courriel?
William: Il me l'a demandée, je la lui ai donnée...
Moi: T'aurais pas dû, il va te gosser tout l'été, il a rien d'autre à faire.

William éclate de rire. Je me calme.

** Le petit me sacre patience.

(IL PART, ENFIN.)

Moi (à William, en chuchotant, au cas où @#$%?& ne soit pas vraiment parti. On ne sait jamais avec lui): Tu me dis toujours que c'est le meilleur camp du monde, celui où tu vas.

William: Non. Le meilleur camp est celui où mes amis vont.

Moi: Hmm... (<u>Dans ma tête:</u> bon point.)

** (HONNÊTEMENT, JE SUIS D'ACCORD AVEC LUI, MAIS JE TENTE DE LUI REMONTER LE MORAL.)

Moi: Je te promets qu'on va t'écrire! De toute façon, t'es notre mousquetaire! On ne peut pas te laisser tomber comme ça!! Tu nous enverras tes idées de lois pour Wilomax. *******

*** <u>WILOMAX</u>, c'est le nom du pays qu'on est en train de fonder.

ON L'A TROUVÉ LE 21 JUIN. J'AI OUBLIÉ DE L'ÉCRIRE DANS MON CARNET.

** Ça vient des noms des trois mousquetaires:

<u>WILLIAM</u>, <u>LOLO</u> et <u>MAXIME</u>.

P.-S. : ** Mais là, y a peut-être un petit problème à l'horizon. Mon cousin Joje va sûrement vouloir devenir le **4ᵉ MOUSQUETAIRE**. Ça voudrait dire qu'il faudrait rajouter son nom. Je pensais à WILOMAJO. Mais ça me semble long, non?

William: J'ai déjà quelques idées. Merci, Lolo, t'es fin d'être gentil avec moi.

Moi: ????? *** (Euh... Je suis fin d'être gentil???)

En tout cas, je pense que je comprends ce qu'il veut dire.

Moi: Ça me fait plaisir. Profite bien de ton été là-bas.

William: Vous allez me manquer, les gars.

P.-S. : ** Bon, ça y est, la gorge me serre et mes yeux chauffent. Je trouve qu'il fait pitié, William. Il est tellement gentil, mais c'est pas évident pour lui de se faire des amis. Il est tellement **GROS**.

** Ça n'a pas l'air d'avoir rapport, mais c'est vrai.

P.-P.-S. : ** Faudrait peut-être qu'il maigrisse un peu. Il a de la misère à faire le tour de la cour d'école en courant. Il doit toujours prendre sa pompe.

Moi: Faut que je te laisse, ma mère m'attend. Je t'écris!

Sérieux, je ne comprends vraiment pas ses parents. Non seulement ils ne sont jamais là, mais ils pourraient au moins envoyer leur fils au KAMP P. avec Max et moi. Pour une fois qu'il a des amis. Et c'est pas comme s'ils n'en n'avaient pas les moyens.

Ils dépensent de l'$$$ pour faire des voyages dans le monde entier. Ils pourraient se passer de l'un d'eux et payer le KAMP P. En plus, c'est probablement moins cher que l'endroit où ils envoient William.

Ça a l'air qu'ils ont déjà payé. En tout cas, dans notre pays, les enfants n'auront pas de parents; comme ça, tout le monde va s'occuper de tout le monde. **VOILÀ**.

DATE?? (On dirait que c'est moins important, les dates, pendant l'été, non?? Mais, chose certaine, il reste **29** dodos avant le GRAND DÉPART!!!) (Au terrain de soccer / parc près de la maison)

Les jumeaux m'ont fixé + observé = gossé toute la journée, mais ils ne sont pas venus me voir. @#$%?& n'arrête pas de me regarder et ça m'énerve

SOLIDE.

Après deux heures (aujourd'hui seulement), *JE N'EN PEUX PLUS*. Je vais le voir.

Moi: Qu'est-ce qu'il y a?
@#$%?&: Rien. ♪ ♫
Moi: Pourquoi t'arrêtes pas de me regarder comme ça?

@#$%?&: Ben, j'ai promis à maman de pas te ♪
déranger aujourd'hui avec tes amis. ♪♫ ♪
Moi: Oui, mais là, t'es toujours tourné vers ici. C'est aussi fatigant.
@#$%?&: Ben, c'est normal, t'es mon grand frère et tu joues bien au soccer. ♪ ♫ ♫

EUH, RAPPORT ? ? ? ? ?

** Bon, il me regarde avec ses grands yeux qui se remplissent de larmes et je ramollis. Il sait comment venir me chercher, celui-là. Et moi, l'imbécile, je ~~mort~~ mords chaque fois.

Moi: OK. Viens, je vais te présenter mes amis.
@#$%?&: YÉ!!! ♪ ♫

<u>Plus tard dans la soirée...</u>

Maman descend au sous-sol, je suis devant la ~~télévision~~.

Maman: Tutu m'a dit ce que tu as fait aujourd'hui.
Moi: Il était content.
Maman: Je suis fière de toi! Ça lui a fait vraiment plaisir. Et là, je suis certaine qu'il va te laisser tranquille.
Moi: Bof, c'est pas grave. Mais dis-lui pas ça,
S'IL TE PLAÎT. Je voudrais pas lui donner d'idée.

Maman (elle m'embrasse sur le front): Bon, faut que j'aille promener FRILEUX.

Moi (je ne sais pas ce qui me prend): Est-ce que je peux venir avec toi?

Maman (vraiment très surprise): Ah oui?

** JE LA COMPRENDS D'ÊTRE SURPRISE. MOI AUSSI, JE LE SUIS.

Moi: Si ça ne te dérange pas.

Maman: Ben non! Voyons!! Enfin, je vais avoir de la compagnie!! Viens.

Je me lève.

Quelques minutes plus tard:

Maman et moi marchons vers le parc.

Maman: As-tu quelque chose à me demander?

Moi: Non, pourquoi?

Maman: Je ne sais pas, tu ne viens jamais marcher avec moi. Je me disais que tu voulais peut-être être seul avec moi parce que tu avais quelque chose à me demander.

Moi: Non.

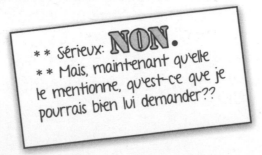

** Sérieux: NON.
** Mais, maintenant qu'elle le mentionne, qu'est-ce que je pourrais bien lui demander??

1) Un nouveau vélo?
2) Des nouveaux skis?
3) Un voyage autour du monde?
4) Une Porsche en cadeau pour mes 16 ans??
5) Faut que je trouve quelque chose. Je ne peux pas rater cette belle ~~oca~~ occasion.

** EN TOUT CAS, CE SERAIT LE BON MOMENT.

Maman: D'accord.
Moi: ...
Moi: ...
Moi: ...

AAARGH!!! Pour une fois que je pourrais lui parler, je ne trouve rien à dire. Je suis sûr que, dans deux heures, je vais enfin trouver et il sera trop tard! J'haïs ça!!!!

Moi: On est bien dehors, han?

22 DODOS AVANT LE CAMP.

** J'écris assis dans ma chambre, par terre, au pied du lit. Je suis un peu dans la lune, car je n'ai pas grand-chose à raconter aujourd'hui.

Il n'y a absolument rien d'intéressant à dire, sauf que ça fait du bien d'être dans les **20** et non les **30** dodos. OH, et Mémé et Simon ont repris ensemble. Je pensais qu'ils étaient déjà ensemble. Difficile de les suivre.

11 DODOS AVANT LE KAMP P. !

** Dans deux dodos on tombe dans les unités, fini les dizaines!!! **YOUPPI!!!**

Papa et maman entrent dans ma chambre.

OH OH...

** Pourtant je suis à **100 %**, non **89 %**, en fait **67 %** certain que je n'ai rien fait de mal. Mémé n'est jamais à la maison depuis qu'elle travaille, et elle passe ses soirées chez Simon.

Maman tient un sac dans ses mains, et ça ressemble à un sac cadeau. **FIOU!**

** Je suis maintenant à **125 %** sûr que je n'ai rien fait de mal.

Maman: Tiens, c'est pour toi.

ELLE ME TEND LE SAC.

Moi: C'est quoi?

** Je le sais, c'est mon cadeau de fête.
YOUPPI!!!

Papa: Ton cadeau de fête.

** *JE LE SAVAIS!!!*

Maman: On te l'offre maintenant pour deux raisons: la première, c'est que tu seras au camp la journée de ta fête. Et la deuxième... Ouvre-le, tu vas comprendre.

** Je l'ouvre (en huit fractions de seconde):

Une raquette de tennis **BABOLAT** comme celle de mon tennisman préféré: **RAFAEL NADAL!** Je suis *TROP* content!

** Je commence un camp de tennis demain, j'y passe la dernière semaine avant le Kamp P.
** Rafael Nadal est un joueur de tennis espagnol.

(Il est N° 1 mondial à ses heures.)

Moi: Merciiiiiii!!! Je l'adore!!
Papa: Tant mieux. Comme tu ne seras pas avec nous pour ta fête, on s'est dit que tu allais en profiter au camp cette semaine.

Maman: Et on te fêtera à ton retour.

Moi: Ouain, *12 ANS*, ça se fête. Qu'est-ce qu'on va faire?

Maman: On verra. Tu as encore quelques semaines pour y réfléchir.

** J'aurais le goût de fêter au camp avec mes amis, mais William ne sera pas là. Au fait, je n'ai pas eu de nouvelles de lui. Il doit avoir du plaisir à son camp. Tant mieux pour lui. Moi aussi, j'en aurai, au KAMP P.

** Avant le départ.

J'adore ma nouvelle raquette. Je me suis amélioré. Elle est beaucoup plus ~~légerte~~ légère que mon ancienne raquette. Je me sens comme, comme...

** = surnom de Rafael Nadal.

9 DODOS:

Hâte d'aller au camp!

8 DODOS:

Je capote à l'idée d'aller au KAMPP.

7 DODOS:

Trooooooop hâââââââte...

6 DODOS:

Plus capable d'attendre...

5 DODOS:

Encore **5** dodos!!

4 DODOS:

Ça s'en vient!!!!

3 DODOS:

Je ne dors plus tellement je suis excité.

2 DODOS:

Je dors mal. Je commence à avoir des papillons dans l'estomac. Ça vient un peu vite, je trouve, là...

1 DODO:

** Je suis dans mon lit, sous les couvertures. Frileux est collé contre moi.

Je ne suis plus certain que j'ai le goût de partir. Dans le fond, je suis bien ici, même si les jumeaux et Mémé m'achalent.

Quand j'y pense, c'est bien, le camp de tennis. J'aurais pu y passer deux semaines de plus et j'aurais bien ~~aimer~~ aimé ça. Au lieu que mes parents dépensent tout cet argent pour le KAMP P...

*** BON, LÀ, JE PRENDS SUR MOI UN PEU.

J'ai hâte, mais je suis un peu énervé à l'idée de partir. Je vais essayer de dormir cette nuit. Si je suis capable.

4 AOÛT = LE JOUR J

** (Je suis couché dans mon lit. Il fait quand même un peu clair, car le soleil est levé, ou presque. Il est 5 H 16, oups 5 H 17 sur mon réveil.)

* J'AI DES PAPILLONS DANS L'ESTOMAC. *

On doit se lever dans **DEUX HEURES** pour partir pour le camp.

FRILEUX entre dans ma chambre. On dirait qu'il sent que je pars pour deux semaines. Il me regarde avec des yeux piteux, comme pour me dire qu'il va s'ennuyer de moi.

Moi: Oh, moi aussi, je vais m'ennuyer de toi, mon gros poilu.

Il vient se coller contre moi. Au début, j'aime toujours ça, mais, après un bout, il fait *CHAUD!!*

> ** Maman l'a fait raser pour l'été. (Ça fait quelques semaines quand même, ça a repoussé un petit peu.)

Je me lève enfin et je prends une douche (avant que Mémé s'enferme dans la salle de bain) pour me préparer. Je suis vraiment excité, mais...

* **J'AI ENCORE DES PAPILLONS DANS L'ESTOMAC.** *

Je vais sur l'ordi pour voir si Max est réveillé. J'ouvre l'application FaceTime et ça se met aussitôt à sonner. C'est mon cousin Joje.

JE RÉPONDS.

Joje: Es-tu excité?
Moi: Ouain**.

> *P.-S.:* ** C'est pas que je ne le suis pas, c'est juste que... ben... j'suis, genre, un peu nerveux. Normal, non?

Joje: Moi, je capote *SOLIDE!!!*

P.-P.-S.: ** Joje me copie. Il utilise cette expression maintenant, parce qu'il sait que je dis toujours ça... Je ne dis plus «awkward» par exemple, je trouve ça passé date.

Joje: J'ai hâte de partir. Tes parents sont-ils réveillés?
Moi: Pas encore.
Joje: Ça fait deux heures que je suis réveillé. J'ai déjà déjeuné – deux fois, même**!

P.-S.: ** Mon cousin n'est pas vraiment gros, mais il est fait FORT, et il mange en tabarouette. Surtout quand c'est le saumon de ma mère. L'autre fois, il en a pris trois assiettes!!

POUR DE VRAI!!!!

** En réalité, c'est le saumon de mon père. Oui oui. C'est lui qui l'a pêché lors d'un voyage de pêche (!!!!) dans le Pacifique. Et il est vraiment bon, car c'est du vrai saumon. Euh... je veux dire, du saumon frais pêché. En tout cas, il goûte meilleur que le saumon acheté. Mais c'est ma mère qui l'a fait cuire, donc c'est aussi son saumon (????).

Joje: Enfin, on va avoir la paix des parents pendant

deux semaines. Je capote **SOLIDE.**

Moi: Moi aussi.

Joje: T'as pas l'air.

Moi: Ben oui. Je pense que je vais m'en rendre compte une fois rendu là-bas.

Joje: OK. En tout cas, moi, je C-A-P-O-T-E !!!

P.-S.: ** Répète-le donc encore une fois,

JE N'AI PAS COMPRIS!!!!

Joje: **SOLIDE!!!!**

P.-P.-S.: **SÉRIEEEUUUX,

s'il prononce le mot « SOLIDE »

ENCORE une fois, je lui arrache la tête.

** (Façon de parler.)

Mon FaceTime sonne encore. C'est Max.

FIOUOUOUOU**OU**OUOU!!

** J'ai une bonne excuse pour raccrocher.

Moi: Joje, Max m'appelle, je te vois plus tard.

Je prends l'appel de Max.

Moi: Salut!
Max: Pis, es-tu excité?
Moi: Oui.
Max: Ah oui? T'as pas l'air. Moi, je capote

SOLIDE! Ça fait deux heures que je suis réveillé!!

P.-S.: ** Coudonc, ils se foutent de ma gueule, ou quoi??

Tiens!! Moi aussi, je suis capable de le dire!

SOLIDE!

SOLIDE!

SOLIDE!

SOLIDE!

SOLIDE!

SOLIDE!

SOLIDE!

SOLIDE! SOLIDE!

SOLIDE! SOLIDE!

SOLIDE!

SOLIDE!

SOLIDE!

SOLIDE!

SOLIDE!

SOLIDE! SOLIDE!

SOLIDE!

Moi: Tant qu'à faire, as-tu déjeuné DEUX fois?
Max: Han?
Moi: Laisse faire...

P.-P.-S.: ** C'est pas vrai que j'ai pas l'air excité. C'est juste que... ben, je m'aperçois là que c'est quand même long, deux semaines. J'ai un peu peur de m'ennuyer. <u>Sauf de Mémé.</u>

OH QUE NON!!!

Moi: Max, je te laisse, je vais déjeuner. À +!

Je raccroche.

EURÊKA!!!!

** J'ai trouvé = Si je m'ennuie, j'ai juste à penser à Mémé. Ça va arrêter tout de suite!

GENRE, TRENTE MINUTES PLUS TARD...

Je descends dans la cuisine. Maman est déjà là

Moi: Allô!

Maman: Allô, mon trésor. Es-tu excité?

Moi: Oui.

Maman: Ah bon? T'as pas l'air.

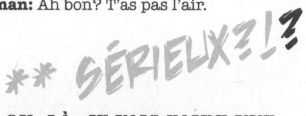

**** <u>OK. LÀ, JE VAIS FAIRE UNE CONNERIE. GENRE:</u>

1) Arracher la tête à quelqu'un.
2) Pas vraiment, mais...
3) Hurler.
4) Euh, non, je vais réveiller tout le monde et me faire chicaner.
5) Sauter ma coche... *SOLIDE.*
6) Finalement, je ne sais pas ce que je vais faire, mais je vais faire quelque chose... de pas trop agréable.

Moi: Ben là!!! Si je saute de joie et que je suis trop content, tu vas me trouver sans-cœur.

P.-S.: ** (Elle dit toujours ça)

P.-P.-S.: ** Enfin une réponse rapide et intelligente.

YIPPPPEEEE!!!

Elle s'approche de moi et me regarde avec ses grands yeux verts...

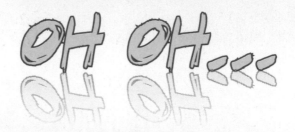

OH OH...

Maman: Je sais que tu es excité. Mais je comprends aussi que c'est la première fois que tu pars pendant si longtemps. Tu ne sais pas à quoi t'attendre. C'est normal, ce que tu ressens.

Moi: Comment tu sais ce que je ressens?

*** EUH... Je connais TELLEMENT la réponse!!!!

** Réponse: elle sait TOUT!!!

Maman: Je sais tout!!!

OOOOHHHH!!

Moi: Je le savais...

Elle s'approche et me prend dans ses bras.

DOUBLE OH OH...

*** GENRE: OH OH² ***

* (Lire: **Oh Oh** au carré.)

~~Moi~~ **Maman:** Ça va bien aller, tu vas voir. Une fois là-bas, tu ne penseras plus à nous!

Elle me fait un clin d'œil après m'avoir serré très fort dans ses bras et donné un gros bisou sur le front.

P.-S.: ** J'haïs ça, quand elle est comme ça, qu'elle devient toute émotive.

FIOU, elle a fait ça vite. Je pense qu'elle se doute que j'allais, euh... devenir un peu ému moi aussi. Elle me connaît, quand même. ÇA, C'EST NORMAL...

C'EST MA MÈRE... ET JE SUIS SON FILS!!!

** Aucun commentaire...

QUELQUES MINUTES PLUS TARD...

Je sors de la salle de bain (après ~~m'avoir~~ m'être brossé les dents).
** Je croise Mémé dans le couloir.

Mémé: T'es pas encore parti, toi?
Moi: Je pars, là.
Mémé: C'est pas trop tôt.

47

P.-S.: ** On est tous les deux plantés l'un en face de l'autre, en plein milieu du couloir, entre la porte de la salle de bain et la porte de ma chambre, où il y a la photo de famille qu'on a prise à Noël dernier.

Moi: J'espère que tu vas passer deux belles semaines.

P.-P.-S.: ** Quand même, faut que je sois fin. Même si ça ne me tente pas trop.

Mémé: Et moi, j'espère que tu vas te casser une jambe, p'tit con.

P.-S.: ** LA VACHE DE CONNE, DE CHIENNE, DE TRUIE, DE POULE, DE, EUH, VACHE DE JUMENT (??).

** Sans même y penser, je me rue dans ses bras pour lui faire un câlin.

** ÇA S'APPELLE UN GROS MOMENT D'ÉGAREMENT, ÇA.

** Note à moi-même = NE PLUS JAMAIS REFAIRE ÇA!

Elle me repousse. (= Pour aucune raison. Quand même, elle pourrait se forcer, elle aussi; je veux dire, je suis dans ses bras. Aussi bien me serrer, non?)

Mémé: OUACHE!

Elle retourne dans sa chambre et referme la porte. Je reste au milieu du couloir sans bouger. Je ne peux juste pas croire que je viens de faire une telle connerie.

⁎⁎ J'espère TELLEMENT que personne ne m'a vu.

Je descends l'escalier et j'entends:

@#$%?&: Wow, ça aurait fait une belle photo, ça, Mélie et toi ensemble.

⁎ ⁎ AAARGH... J'aurais dû y penser, à lui, il est partout. Comme un FANTÔME.

Mémé (dans sa chambre):

AAAAAARGH!!!!!
LOLOOOOOOO!!!

HÉ, HÉ⁎⁎

⁎⁎Mémé vient sûrement de sentir la crème à barbe que j'ai mise dans ses draps pendant qu'elle était partie se chercher un verre d'eau en bas.

QUOI?????? Pensait-elle sincèrement que j'allais partir pour deux semaines sans rien faire???? J'ai peut-être des moments d'égarement envers certaines personnes (**ex: Mémé**), mais je ne suis pas con. Je sais comment saisir chaque occasion de l'écœurer.

** Je sais que je vais me faire punir, et je le mérite. Mais je sais également que maman ne peut rien faire ce matin. Le camp est déjà payé, et papa m'attend dehors. (Je me croise les doigts pour qu'elle oublie ce que je viens de faire avant mon retour.)

P.-S.: ** À moi-même = À dans deux semaines, CONNASSE.

Papa referme le coffre de la voiture.

Mon cousin Joje est là avec son père, mon oncle Jojo. (Jojo, je sais. C'est pas mieux que chez nous avec Mémé, Tutu, Lolo, Lulu. Bref, on passe à autre chose, **s'il vous plaît**).

Là, je ne vais pas raconter tout le trajet parce que:
1) Fallait être là.
2) Ça ne finirait plus de finir (comme dirait ma mère, euh non, mon père... je pense. Bof, ça n'a pas vraiment d'importance).

TOUT ÇA POUR DIRE QU'ON ARRIVE AU CAMP PRESQUE QUATRE HEURES APRÈS LE DÉPART. **

** Ça prend trois heures pour se rendre là-bas, mais on a dû arrêter quelques fois car mon oncle:

1) Avait besoin d'un café. (Papa m'a acheté un chocolat chaud, tant qu'à être là. De toute façon, il ne dit jamais **NON**, lui.)

2) N'a pas digéré son café. Il a donc fallu qu'on trouve des toilettes, pis vite à part ça. On a failli avoir un **MÉGA** gros dégât dans l'auto. ** Mais mon oncle a dit à mon père que, ben mal pris, il aurait fait passer son café (par le trou d'en arrière, genre numéro 3 **) sur le bord de la route.

** Un numéro 3, c'est un numéro 2, mais liquide. (Je sais que c'est dégueu, mais c'est comme ça, l'être humain.)

OUF! Par chance, on a trouvé des toilettes à temps!!!!

** Mon cousin me dit que, quand son père va aux toilettes, ça sent le **MORT** pendant au moins *CINQ* heures. Ben, peut-être *DEUX* heures. Moins, peut-être, je ne sais pas. En tout cas, ça sent **TRRRRRÈS** mauvais **TRRRRÈS** longtemps!

J'aperçois la pancarte:

BIENVENUE AU
KAMP P.
Le paradis des campeurs!!

Ça y est! Mon cœur s'emballe et j'ai des papillons dans l'estomac. On est arrivés. Je ne peux plus dire à mon père que je ne veux plus y aller. (De toute façon, ma mère ne me le pardonnerait jamais. ** Avec raison, je l'ai assez gossée. Et, de toute manière: je <u>veux</u> y aller... dans le fond!!) Joje, lui, saute sur le banc d'auto tellement il est content.

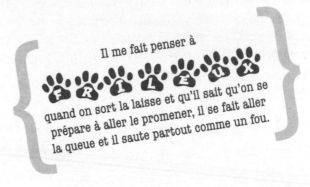

Il me fait penser à FRILEUX quand on sort la laisse et qu'il sait qu'on se prépare à aller le promener, il se fait aller la queue et il saute partout comme un fou.

Moi aussi, je suis content, mais un peu moins que lui, de toute évidence.

P.-S.: ** Ça fait déjà deux jours que j'ai les doigts croisés pour que Max ET Joje soient dans notre cabane. Si je pouvais aussi me croiser les orteils, je le ferais. Mais ça ferait mal, je crois. Je vais laisser quelqu'un d'autre essayer avant moi. Hmm, je vais demander à @#$%?& de le tester. Il fait toujours ce que je lui demande. Il est tellement téteux.

On descend de la voiture, et on passe par la brigade des poux. (Ils sont intelligents, ils passent tous les campeurs au peigne fin dès leur arrivée.)

P.-P.-S.: ** Comme je me suis tapé un traitement en début d'année, je sais que je n'en ai pas. J'ai quand même un peu peur, parce que ça doit être gênant de se faire dire devant tout le monde qu'on a des poux.

YOUPPI!! Je suis dans la même cabane que

Joje!! Notre moniteur, LUCAS, vient nous chercher à la voiture (on était partis chercher nos valises) et, là, il nous emmène à notre cabane.

Je suis vraiment soulagé. À la seconde où on est arrivés au bout du long chemin privé du camp et où on a été accueillis par les moniteurs, j'ai su que j'aurais du plaisir!!

Lucas: Désolé, mais c'est ici que vous vous dites au revoir. Les parents ne sont pas admis dans les cabanes.

Moi: QUOI?????

**Oups, c'est sorti un peu fort. Comme si ça m'affectait.

Lucas: C'est comme ça. Ils pourront la voir dans deux semaines. Mais pas aujourd'hui.

** C'est sûrement pour éviter que les braillards se mettent à... ben, brailler.

Je me retourne vers papa. Il me prend dans ses bras.

OH... OH...

Papa: Profites-en.

** C'est con, mais on dirait que j'ai quelque chose de pris dans la gorge. Comme un genre de petit motton. Mais vraiment PETIT, pas gros du tout.

Joje, lui, a juste hâte que nos pères partent. Pas que j'ai pas hâte, mais... mais... mais c'est pas poli de ne pas dire un vrai BYE à ton père quand il a conduit pendant presque quatre heures pour venir te reconduire, non?

Joje: Tu viens?

Dans le fond, c'est peut-être mieux de faire ça vite. Je me retourne vers mon père, qui me fait un clin d'œil. Je lui souris et je pars avec Joje et Lucas.

On entre dans la cabane.

(C'est comme ça qu'elle s'appelle, ça veut dire TERRE en amérindien. ✱✱ COOL!! NON??)

> ✱✱ En tout cas, il me semble que c'est ce que ça veut dire. On a reçu tellement d'informations en peu de temps que je ne sais pas si je mélange les choses.

Wow!! Trop cool!!! On va être huit dans la cabane, en plus du moniteur (DONC NEUF!!). Il y a un gars qui est déjà arrivé. Il s'appelle VINCENT. Comme mon cousin. Ben, mon autre cousin, le frère de ma cousine Sandrine. Il est plus vieux. (Pas le nouveau Vincent, Vincent mon cousin est plus vieux, il a dix-sept ans. Il prend des cours de conduite, je sais, aucun rapport.)

P.-S.: ** Mon cousin Vincent, c'est le gars le plus *cooooool* de la planète. Il porte des vêtements de sport malades (il joue au football *ET* au badminton), et je veux m'habiller comme lui, et être comme lui plus tard. Je capote trop dessus. Je ne le vois pas très souvent, car il habite loin de chez moi.

Vincent (en désignant Joje et moi): Vous vous connaissez?

Joje: Oui, on est cousins!

Vincent: *Nice.* (*** Prononcé « *NA-I-CE* »; c'est en anglais.)

Joje: Heille, Lolo, ça me tente de dormir en haut, ça te dérange?

P.-P.-S.: ** Honnêtement, oui, mais je suis un peu gêné de le lui avouer... Oh, dans le fond, ça ne me dérange pas. En tout cas, pas tant que ça.

P.-P.-P.-S.: ** Euh, *OUI*, ça me dérange. Faut que je le dise. Oh! J'ai une idée...

Moi: Euh, je vais prendre un autre lit d'abord.

Joje: Ben non, on s'est dit qu'on prenait le même *bunk*.

Il réfléchit quelques instants.

Joje: J'ai une idée! Tu dors en haut une semaine et je dors en haut l'autre semaine. Qu'est-ce que t'en penses?

** TRRRRÈS BONNE IDÉE!!!! COMME ÇA, PAS DE CHICANE!!!!

** C'est pour ça que je l'aime, mon cousin!!
** Il trouve toujours des bons moyens pour éviter les chicanes / problèmes / malaises.

Moi: Cool.

J'entends la porte s'ouvrir. Sûrement un nouveau campeur. Je me retourne.

Max: Salut, LOLO!!! Trop cool!! On est ensemble!!!
Moi: Yé! C'est trop malade!!! Je te présente mon cousin Joje.
Max: Salut. Oh, c'est plate que William soit pas ici. On aurait eu du fun.
Joje: Je vais essayer d'être à la hauteur. Je sais que je ne peux pas le remplacer, mais je vais quand même essayer de vous faire rire comme lui!!

La porte s'ouvre une autre fois. C'est Vincent.

Je ne l'avais pas vu sortir. Il s'est changé, on dirait, parce qu'il me semble que son t-shirt était vert, pas bleu. Il s'avance vers moi.

Vincent: Salut, moi, c'est Jonathan.

** = Moi très mêlé.

Je me retourne. Vincent se met à rire
(il était juste derrière moi).

Vincent: C'est mon jumeau!

On éclate tous de rire. Ça commence bien. J'ai un bon
pressentiment quant aux deux semaines à venir. Chose certaine,
si notre cabane est la cabane des LOOOOOSERS, ça ne me
dérange pas du tout!!!

> ** Mais c'est impossible, avec l'énergie que je sens
> en ce moment. Je pense qu'au contraire, on va être
> la cabane des LOOOOL.

{ Quelques minutes après, un autre
gars entre dans la cabine
et se présente à moi. }

Alec: Salut, je m'appelle Alec.

> * * (Ah, il a un petit accent anglophone, lui, on dirait. Ça, ou RUSSE. Je ne sais pas trop.)

Moi: Moi, c'est Charles, mais tout le monde m'appelle Lolo.

Alec: Enchanté de vous rencontrer.

** (EUH, IL ME VOUVOIE???)

Joje (s'avançant vers nous): Salut. Moi, c'est Joey-Anthony, mais tout le monde m'appelle *JOJE*. T'as un accent quand tu parles, es-tu anglophone?

Alec: Oui, je venir de déménager au Québec. Je venir de les États-Unis. Je doive practiquer mon français.

Joje: On dit « je viens ». Je viens des États-Unis. Et c'est «pra-ti-quer», et non «prac-ti-quer». On va t'aider, fais-toi-z-en pas!!

> *P.-S.:* ** C'est sûr, mon cousin va l'aider, il est tellement gentil!! (Et il est super bon en français.)

Le premier soir, on mange de la pizza. Ça commence TRRRRRRÈS BIEN!!!! J'adore la pizza, je pourrais en manger tous les jours!!

ENSUITE, LA DIRECTRICE, JANINE QUELQUE CHOSE, VIENT NOUS SOUHAITER LA BIENVENUE.

Elle raconte qu'elle a 64 ans, **BLA** BLA **BLA**. Elle vient au camp depuis l'âge de dix ans, **BLA** BLA **BLA**. Elle semble gentille, mais on ne l'écoute pas trop. On niaise un peu. Surtout les jumeaux.

Je m'assois avec *MAX, JOJE, VINCENT ET JONATHAN*. Dans ma cabane, il y a deux autres gars: Yoan et Félix. Ils sont cool, mais je préfère Vincent et Jonathan. *OH*, et Alec, le petit anglo qui venir des États-Unis. (Héhé.) Joje et Max s'entendent bien.

OK. Je dois avouer que je trouve que *YOAN* et *FÉLIX* n'auraient pas dû être placés avec nous, parce qu'ils ne « fittent » pas très bien avec le reste de la gang de *DAMCA*. Mais ils sont amis et ils ne se forcent pas trop pour s'intégrer à notre groupe, alors on les laisse tranquilles.

CAMP JOUR 2.

** J'écris aujourd'hui, mais ça ne sera pas toujours comme ça. Je ne vais certainement pas écrire tous les jours, j'ai quand même mieux à faire.
** En ce moment, je suis installé dans mon lit (en bas, car Joje et moi on n'a pas encore changé, puisque ça fait moins d'une semaine qu'on est arrivés). Je ne suis pas aussi bien installé que dans ma chambre, mais c'est beaucoup mieux, car il n'y a pas: maman, papa, Mémé, Lulu et @#$%?&. *YIPPPPEEEE*. On est trop bien sans famille!!!!

Il pleut super fort aujourd'hui. Il n'y a pas beaucoup d'activités qu'on peut faire dehors. (** C'est pour cela que j'écris.) Ce matin, on a décidé qu'on restait dans notre cabane à jouer aux cartes. On joue au trou de cul. C'est pas très poli comme nom, mais c'est le jeu qui s'appelle comme ça et j'adore jouer. Sauf que, comme d'habitude, **JE PERDS,** et, **COMME D'HABITUDE,** Joje gagne.

Moi: Pendant que j'y pense, on devrait envoyer un message à William pour savoir comment ça se passe à son camp. Je lui avais promis que je lui écrirais.
Max: Bonne idée.
Joje: Je peux venir avec vous?
Moi: Ben oui!

Il le connaît, William. Il peut bien venir.

Jonathan: Moi aussi, tant qu'à rien faire?
Moi: Pourquoi pas?
Vincent: Dans ce cas, moi aussi.
Alec: Qui est William? C'est un ami de vous, Lolo?
Moi: Oui, il est super gentil, même s'il est gros.
Max: C'est quoi, le rapport?
Moi: Aucun, je faisais juste le dire. C'est vrai qu'il est gros.
Max: Oui, mais t'es pas obligé de toujours le mentionner.

Oh, dis-moi pas qu'il va commencer, lui. J'ai bien le droit de dire ce que je veux sans me le faire reprocher. (Je me croirais chez moi, là.) Mais, comme je ne veux pas faire de chicane...

Moi: T'as raison. On a pas d'affaire à dire ça. Désolé.
Max: Stresse pas avec ça, Lolo. C'est pas grave.

POURQUOI IL EN FAIT TOUT UN PLAT DANS LE CAS??

Moi: Pas de trouble. On y va? William va être content, parce que je suis sûr qu'il ne pense pas qu'on va lui écrire si tôt. Il va avoir une *BELLE SURPRISE*.

P.-S.: ** *J'ADORE* faire plaisir. Je sais que William va sauter de joie en lisant mon courriel!! Il va avoir toute une surprise!!!
    ** Il ne s'attend **TELLEMENT** pas à ça!!

Je me lève, (je referme mon carnet,) je prends mon imperméable et enfile mes bottes de pluie. Max et Joje m'emboîtent le pas.

On vient pour sortir, mais ça cogne à la porte. J'ouvre. *AYOYE*, il ressemble à William, le gars, mais en beaucoup plus mince.

William (avec un méga sourire aux lèvres)**:** Salut, Lolo!

    ** Là, j'allume.

C'EST WILLIAM!!

William?!? Ça mérite plus de « *!!* ».

QU'EST-CE QU'IL FAIT ICI, LUI??

61

Moi: William? Qu'est-ce que tu fais ici?

William: Je suis venu vous surprendre!!

Max: Pour nous surprendre, t'as réussi *SOLIDE!!* C'est vraiment trop méga malade solide cool!!!! Mais là, qu'est-ce qui t'est arrivé? Es-tu malade??

> *P.-S.:* ** C'est impossible de ne pas remarquer qu'il a perdu, genre, 200 livres... Ben, euh, au moins 30 livres. Je ne sais pas, ça se peut, 30 livres, ou c'est trop?? En tout cas, il n'a pas perdu seulement DIX livres, *OH QUE NON!!!*

William: Non, je fais attention à mon alimentation. Mettons que j'étais tanné d'être gros!

Moi: T'es beau en tout cas.

> ** *T'ES BEAU???????* Quel imbécile dit ça à un autre gars??????

EUH = MOI !!!

Évidemment, tout le monde me regarde, parce que je suis vraiment con d'avoir dit ça.

> ** Fidèle à son habitude, Max vient à ma rescousse.

Max: Comment t'as pu changer de camp??

William: J'ai fait tellement de conneries qu'à l'autre camp, ils étaient bien contents de me laisser partir!!

Joje: Salut, William!

William: Salut, Joje. C'est trop cool, vous êtes tous dans DAMGA!!

Ils se serrent la main.

NOTE IMPORTANTE: ** Je n'ai toujours pas bougé (depuis ma connerie). Je suis incapable de dire un seul mot. Comme un retardé / épais / con / imbécile / ~~retardé~~... Pas que je ne suis pas content, je suis juste * SOUS LE CHOC.

SOLIDE

C'est le cas de le dire.
Je ne m'attendais pas à ça. Non seulement il est là, mais il est

William: Ça a l'air cool, le camp. J'ai hâte de le visiter.

Finalement, ça sort, et je dis une <u>autre</u> connerie, ***

COMME D'HABITUDE *** quand je suis:
    1) nerveux;
    2) sous le choc;
    3) pris en flagrant délit de quelque chose;

4) ou juste... **A)** con;

B) retardé;

C) imbécile;

D) épais...

Moi: Ben là, y a pas de place pour toi dans notre cabane.

Là, tout le monde se retourne vers moi. William est un peu mal à l'aise. (Euh, moi aussi.)

 que je suis:

1) con;

2) épais;

3) niaiseux;

4) épais;

5) imbécile;

6) épais...

7) ** OK, je vais arrêter, parce que je pourrais me rendre à 3597.

William: Ça a été compliqué, de changer de camp. T'es pas content de me voir?

LONG SILENCE.

{ GÊNANT. MÊME TRÈS GÊNANT. }

En ce moment, j'aimerais:

1) qu'une bombe nucléaire explose;

2) que l'alarme du camp retentisse;

3) que Lucas ou quelqu'un d'autre entre pour détendre l'atmosphère;

4) que... je ne sais pas quoi d'autre, mais que quelque chose se passe pour que tout le monde arrête de me fixer comme ça.

5) C'est TRRRRRRRÈS embarrassant.

Je ne sais pas quoi dire. Ce que personne ne semble comprendre, c'est que je suis SUPER content de le voir. **<u>SOUS LE CHOC</u>**, mais content.

Sauf que, sérieux, où va-t-il dormir? Il n'y a pas de lit pour lui!!! Il ne peut quand même pas dormir par terre?? Ce ne sera pas confortable.

P.-S.: ** Je pourrais lui prêter mon lit pour lui prouver que je suis content qu'il soit ici. Mais là, c'est moi qui ne ~~dormirez~~ dormirai pas bien.

** ZUT!!

C'est donc compliqué, cette surprise-là!

Joje prend la parole.

Joje: Ben non, au contraire! Il est tellement content qu'il est sous le choc!! **

** MERCI, JOJE!!!

Joje: T'as pas encore compris que, quand il est sous le choc, Lolo ne sait jamais quoi dire, sauf des **CONNERIES.** **

** EUH... C'EST PAS FIN DE DIRE ÇA DE SON COUSIN.

William se met à rire.

William: C'est vrai, j'ai remarqué ça! Tu te souviens, quand Kevin te provoquait à l'école, tu disais pas un mot! Mais, quand ça a sorti, ça a sorti, par contre!!!

Ils éclatent tous de rire. Là, je ne sais pas <u>si je dois</u>:
  1) Me sauver en courant.
  2) Pleurer.
  3) Rire aussi (hmm... ce serait le fun).
  4) Être insulté.
  5) Euh...

William s'avance vers moi et me prend dans ses bras. **

P.-S.: ** Il a vraiment fondu de partout, c'est hallucinant, je suis maintenant capable de faire le tour de son corps avec mes bras!!!

Lucas entre au même moment, avec l'autre moniteur (Martin) et un lit de camp pliable! Ah ben!!! Ils pensent vraiment à tout au

On installe William entre le lit de Max et le mien.

AYOYE, je sens qu'on ne dormira pas beaucoup!!!

YESSSSS!!!!!!

Une fois William tout installé, on lui fait visiter le camp. Il pleut des cordes. **

** C'est une expression qui veut dire qu'il pleut super fort.

** On ne voit rien devant nous, ou presque!!

Mais on est bien habillés (avec nos imperméables et nos bottes de pluie!). On est donc restés dans le bois un peu plus longtemps que prévu.

{ EUH... la vérité, c'est qu'on s'est, genre, un peu perdus, mais c'est pas grave, on a vite retrouvé notre chemin. }

EUH, la vraie vérité, c'est que Martin a dû venir nous chercher. On était en retard pour le lunch, alors tout le monde nous cherchait. OK, j'avoue que c'est un peu LOSER, mais, quand même, ça fait pas si longtemps qu'on est arrivés, c'est normal qu'on ne se reconnaisse pas PARTOUT!!!

*** Y a des arbres à perte de vue dans la forêt et ils se ressemblent tous.

Pour le lunch, on a eu des pitas avec de la viande (William en a pris juste *UN!!!*). **

** Sans blague!!

*** Moi, j'en ai pris trois, ils étaient vraiment très bons. C'est incroyable qu'il en ait mangé juste un. Et il n'a pas pris de dessert! Ben, il a mangé une pêche, mais c'est pas vraiment un dessert, ça. Même s'il m'obstine et qu'il n'arrête pas de me faire la morale à propos de ce que je mange.

> J'ai quand même mangé le dessert. **
> **Je me suis senti un peu mal. William a raison, c'était très gras. Mais il est bon, leur gâteau au chocolat. Excellent!

Après le lunch, on ~~marchais~~ a marché encore dans le bois. (Il pleut toujours, mais beaucoup moins fort qu'avant.) C'est une petite pluie fine et j'adore ça, parce que je trouve que ça sent bon.

> ** Je sais que c'est bizarre, mais c'est comme ça.

Puis, on est allés dans une espèce de vieille cabane. (En fait, y avait juste deux murs et un genre de faux toit, mais ça nous protégeait de la pluie.)

Et là, Vincent (un des jumeaux) nous a raconté une histoire ---- *VRAIE*. C'est quelque chose qui est arrivé au camp il y a *50* ans cette année. ** Ça fait trois ans que les jumeaux viennent au KAMP P. Ils connaissent toutes les histoires et les anecdotes du camp, c'est vraiment le fun.

Ils sont super gentils, les jumeaux, mais, quand ils s'obstinent, ils s'obstinent solide. À la défense de Jonathan (c'est lui qui s'était trompé de chemin quand on s'était perdus dans le bois plus tôt), ça prêtait à confusion parce qu'il pleuvait très fort. Mais c'est pas grave, c'est du passé.

IL N'Y A PERSONNE DE mort.

Vincent a mis sa lampe de poche devant son visage parce qu'il fait un peu noir (à cause des orages qui ruinent la journée), et il a l'air d'un FANTÔME.

** Je te regarde, là, Vincent ressemble un peu à Mémé, comme ça. C'est vrai!! Elle peut ressembler à un gars / FANTÔME quand elle fait des grimaces. OH, ça me fait penser, je devrais lui écrire.

* PAS QUE ÇA ME TENTE.

~~Mes~~ Mais je me demande tout de même ce qu'elle fait de bon.

P.-P.-S. (au cas où quelqu'un trouve ce carnet)
** JE M'EN FOUS, DE CE QU'ELLE FAIT. ELLE PEUT BIEN SE PÉTER LA GUEULE.

SOLIDE!

** BON DEBARRAS.
*** JE PRENDRAI SA CHAMBRE.

JE SAIS CE QUE JE VAIS FAIRE... Je vais demander des nouvelles de Mémé aux jumeaux (Tutu et Lulu, pas les jumeaux du camp!). Je sais qu'elle travaille à la pharmacie du coin, dans le rayon du maquillage. Elle est heureuse, car elle a un rabais maintenant. Et, si je peux me permettre un commentaire, elle en a besoin.

À la quantité de maquillage qu'elle porte, je comprends qu'elle soit contente de payer moins cher! Ma mère trouve qu'elle en porte un peu trop et elle l'a dit à mon père, mais lui, il ne fait jamais rien. Alors, je pense que ma mère va lui parler.

Je sais ce qu'elle va lui dire, moi: « T'es tellement une belle fille, **BLA** BLA **BLA**, t'as pas besoin de te mettre autant de maquillage, **BLA** BLA **BLA**, les garçons aiment les filles naturelles, **BLA** BLA **BLA**. »

OH! QUE JE SUIS BIEN ICI, AU CAMP.

Mais revenons à nos moutons...
c'est-à-dire à l'histoire... VRAIE!

Vincent: Y avait un campeur qui s'appelait VICTOR LAMARRE. Il avait 13 ans, et il était venu passer un mois ici, au KAMP P. Un soir, ses amis de

Jonathan: Il ne parle pas, et il reste planté là à te fixer sans dire un mot.

{ ** (Euh, me semble que je m'entends avaler ma salive.) }

Vincent: En tout cas, c'est ça, l'histoire.
Jonathan: Y a au moins un campeur qui le voit chaque année.
Joje: Il se tient où?
Jonathan: Partout.
William: Ah oui? *COOL!!* Et on peut le voir le jour ou le soir?
Max: Le soir, voyons! Tu ne peux pas voir un FANTÔME le jour!!
Joje: Euh!! Ça se voit tellement, des FANTÔMES le jour! Mais on les voit mieux le soir parce qu'ils sont transparents.
Max: C'est quoi, le rapport?
William: Ça n'a pas d'importance; jour ou soir, on va essayer de le trouver.
Vincent: Oui, on va essayer n'importe quand.
Jonathan: Mais c'est plus facile le soir à la pleine lune.
Max: C'est la pleine lune ce soir, non?

{ ** (OH! NON, DIS-MOI PAS...) }

Jonathan: Ouiiiiiiiii.
William: *MALADE!!!* Faut essayer de le «spotter».

** (LÀ, J'AI LE GOÛT DE PARLER. JE TROUVE QUE WILLIAM TRIPPE UN PEU TROP.)

** Pas le goût pantoute de le «spotter», moi, le **FANT◌ME**.
OH QUE NON!!!

Moi: Ben là, vous rendez-vous compte que c'est un jeune de notre âge?

William réfléchit quelques instants...

William: Lolo a raison. Le **FANT◌ME**, il a 63 ans ou 13 ans? Il est ridé ou pas?

** (Euh... C'est vraiment pas de ça que je parlais.)
** On s'en fout, personne ne veut le voir, dans le fond.

De toute façon, je ne suis pas sûr que je crois à ça, moi, les histoires de fantômes. Ça n'existe pas, les fantômes.

74

CAMP, JOUR 4 – de retour à DAMGA après une autre super journée!!

Ce soir, après le souper, on a fait des jeux

X-TRÊMES!!!! Trop malade!!

Nous, on est dans l'équipe ORANGE. Nous sommes jumelés à deux autres cabanes, HATEYA et TAIMA.

Ce sont des cabanes avec des plus jeunes et des plus vieux, alors tout le monde est de force égale. C'est le fun quand même. Par contre, il y a des filles avec nous. Ça, c'est moins le fun.

{ ** PAS GRAVE, JE LES IGNORE. }

Voici les différentes disciplines:

1) Faire une course de relais dans des poches de patates.
2) Ramasser une pomme qui flotte dans un bol d'eau avec nos dents (ça a l'air facile, mais c'est pas évident!).
3) Faire une course de tricycles.
4) Lancer un javelot le plus loin possible.
5) Rentrer des anneaux dans des bâtons de bois.
6) Jouer au minigolf.
7) Lancer un avion de papier le plus loin possible.
8) M'en souviens plus, mais je suis sûr qu'il y en avait d'autres.

Joje est très compétitif dans ces affaires-là. Des fois, c'est même un peu gossant parce qu'il n'a pas de plaisir, il ne veut que gagner. Et ce n'est pas le fun pour le reste de l'équipe, parce qu'il perd toujours patience. (Surtout quand on n'arrive pas premiers dans les épreuves.)

Nous, on fait notre possible. (Moi, en tout cas. Et William aussi, maintenant qu'il est capable de courir comme une personne normale.) Mais ce n'est jamais assez pour le cousin.

<u>De toute façon, on a remporté quelques médailles:</u>

OR – les poches de patates.

OR – la course de tricycles.

ARGENT – la pomme.

BRONZE – le lancer de l'avion.

Joje dit qu'on avait le potentiel nécessaire pour gagner les jeux au complet. Finalement, ce sont nos voisins de cabane qui ont gagné:

(Avec deux autres cabanes de filles que je ne connais pas... et que je ne veux pas vraiment connaître.)

C'est un peu frustrant parce qu'on ne les aime pas trop trop. Ce sont des gars qui se prennent pour d'autres. Ils ne sont pas gentils ni agréables.

On éteint les lumières pour se coucher, mais Joje est encore pompé d'avoir perdu. Il nous le fait savoir en soupirant et en faisant beaucoup de bruit avec ses affaires.

** Ça me tape sur les nerfs *SOLIDE*.

** Je me retiens, mais il faut que je dise quelque chose parce qu'il y a une énergie méga négative dans DAMGA en ce moment. Je pense que personne ne dormira si je ne fais rien pour « clairer l'air ».

Moi (relativement calme)**:** Joje, faut voir le bon côté des choses... On ne s'est pas fait battre par des filles. Sont quand même gros et sportifs, les gars d'YSNAY.

Joje: Manquerait plus que ça: se faire battre par des filles!! Là, j'aurais été frustré.

Vincent: Tu l'es déjà.

Joje: Qu'est-ce que tu penses?? On aurait dû gagner. C'est à cause de toi, en plus. T'arrêtais pas de niaiser pendant les épreuves.

Vincent: Tu vas quand même pas me mettre ça sur le dos??

Vincent n'aime pas les reproches. Il est débarqué du lit et semble prêt à se battre. Joje s'en rend vite compte et débarque de son lit à son tour.

Joje: C'est quoi ton problème?

Vincent: C'est TOI, mon problème.

P.-S.: ** Sérieux, moi, je ne m'essaierais pas contre mon cousin. Il est grand et fort. Vincent n'a aucune chance.

P.-P.-S.: ** D'un autre côté, je pense que la seule raison pour laquelle Vincent ose provoquer Joje, c'est parce qu'il se doute que mon cousin ne se bat JAMAIS. Il est doux comme un agneau et ne ferait pas de mal à une mouche.

P.-P.-P.-S.: ** Sauf que là, il 'est vraiment pompé, le cousin, je pense que je suis mieux d'intervenir.
** Je ne l'ai *jamais vu* comme ça avant.

P.-P.-P.-P.-S.: ** Pas sûr que j'ai le goût d'intervenir, parce que j'ai pas envie d'en manger un en plein visage. Lucas se plante bien droit entre eux. Ils sont tous deux intimidés et retournent chacun à ses affaires.

CAMP, JOUR 5.

Ce matin, j'ai eu un autre choc:
   ** William 'est arrivé à la table avec son déjeuner:

   **** Des fruits avec une ~~omellette~~ omelette. (En fait, c'était des œufs brouillés. En tout cas, ça ressemble à ce qu'ils servent à la cabane à sucre.) Bref, il n'a pas pris de rôties ni de gaufres ni de crêpes ni de bacon!!!

William qui mange juste des choses bonnes pour la santé???????
   ** Ça me gosse un peu, parce que je me sens mal chaque fois que je mange des cochonneries quand il est là. Il est devenu monsieur Santé, on dirait. Il devrait avoir son émission de télé à Canal Vie.

William: Je te l'ai dit, Lolo, je fais attention à ma santé. Je suis allé chez le médecin avant de partir, et il m'a dit que, si je perdais du poids, je ne serais plus asthmatique.

C'EST QUOI, LE RAPPORT??

William: Le rapport, c'est que, moins t'es gros, moins ton cœur pompe.

SI TU LE DIS...

William: Moins ton cœur pompe, moins il force, donc t'es plus en forme, et tu respires mieux. Tu comprends?

NON!!!!

* * C'est compliqué, non? C'est pour ça que je ne pense pas vouloir être médecin plus tard. Je ne comprends rien à ces affaires-là, moi.

Lolo: Ben oui, je comprends. J'suis pas épais.

** Aucun commentaire, s'il vous plaît.

Joje me regarde. Il se retourne vers William.

Joje: Il ne comprend pas, mais c'est pas grave.

** C'EST **QUOI,** SON PROBLÈME, LUI?

* IL NE SAIT PAS CE QUE JE COMPRENDS ET NE COMPRENDS PAS.

** IL COMMENCE À ME TAPER SUR LES NERFS SOLIDE, LE COUSIN. Même si... ben, il a raison.

 ## CAMP, JOUR 6.

(Mais, si j'avais le choix, j'aimerais qu'on soit le **JOUR 1** pour recommencer tout le camp. Héhé.)

Le soir, **AUTOUR DU FEU DE CAMP – PLEIN DE CAMPEURS AVEC DES GUIMAUVES.**

J'ai enfin trouvé une branche qui a de l'allure pour faire griller mes guimauves. Mais, au prochain feu de camp, je vais me dépêcher pour avoir un plus grand choix de branches.

    ** Joje, lui, est tout de suite parti à courir pour trouver la branche idéale. Il en a ramassé une longue, grosse, avec le bout parfait pour rentrer une guimauve. Je te dis que lui... Il est toujours plus rapide que moi. Moi, j'ai dû changer de branche au moins *15* fois... euh... *DIX*... ou bien peut-être *QUATRE* fois, parce qu'elles se cassaient chaque fois que j'essayais d'insérer ma guimauve.

William aussi, il s'est dépêché (c'est rendu qu'il court vite), alors ils ont réussi à trouver les plus belles branches. Au moins, MAX, VINCENT et MOI, on en a trouvé des pas si pires (quand même). Pas comme JONATHAN. Il en cherche encore une!!!

On a droit à QUATRE guimauves chacun, mais Lucas (notre moniteur) est allé «emprunter» un sac au complet, alors on a pu en avoir d'autres!!! Il est vraiment cool.

P.-S.: ** C'est bizarre, car tous les moniteurs ont des sacs de plus pour leurs cabanes...

J'ai déjà mangé six guimauves, mais j'en veux encore. Je ne sais pas ce que j'ai ce soir, mais j'ai vraiment faim. Plus que d'habitude, on dirait.

P.-P.-S.: ** Je pense que je sais pourquoi. Je n'avais pas le goût de me faire faire la morale au souper, alors j'ai mangé exactement la même chose que William. Pour être sûr qu'il me fiche la paix avec mon alimentation.

William, lui, a mangé seulement TROIS GUIMAUVES. Il se penche vers mon cousin...

William: Joje, veux-tu une guimauve de plus?

JOJE???????

** EUH, PIS MOI?????

HEILLE, C'EST *MOI*, SON AMI!!!!
MAUDIT, C'EST TOUJOURS:

JOJE, JOJE, JOJE, JOJE!!

J'EN AI MARRE, MOI, DU COUSIN!!!

Joje: Oui. Merci, Will. Il t'en reste encore deux. Tu les manges pas?

P.-S.: ** Je fais tourner ma guimauve en roulant les yeux. Et en faisant semblant de les ignorer. C'est rendu que même William me tape sur les nerfs avec mon cousin.

** À moi-même: « Merci, Will. Il t'en reste encore deux. Tu les manges pas? » bla, bla, bla...

P.-P.-S.: ** Autre **NOTE À MOI-MÊME:** Je vais m'arranger pour ne pas être au camp en même temps que mon cousin l'année prochaine (SI J'Y VAIS). Il me vole mes amis. C'est vraiment pas cool.

P.-P.-P.-S.: ** WILL???

** Joje l'appelle toujours comme ça.

Ça me gosse *SOLIDE*.

SÉRIEUX???? C'est rendu son *BEST* ou quoi???

* * *BEST* = son meilleur ami. Les filles disent toujours ça (c'est une expression qui vient de la France, je pense), mais j'aime ça, dire ça. Seulement pour moi-même! Je ne voudrais pas passer pour un *LOOOOOSER* parce que j'aime une expression de filles.

William: Non, j'ai plus faim...

{ *EUH, DIFFICILE À CROIRE... JE SUIS CERTAIN QU'IL CHERCHE DE L'ATTENTION.* }

Joje: Tu devrais les offrir à Lolo, il a l'air d'en vouloir d'autres.

William: Ha! Ha! Tu as lu dans mes pensées, Joje, c'est exactement ça que je voulais faire! Lolo, les veux-tu?? T'as pas mangé beaucoup au souper, tu dois avoir faim?

HAN?? VRAIMENT???

* * C'est donc ben gentil de sa part.

P.-S.: * * NOTE À MOI-MÊME: Oublier la dernière **NOTE À MOI-MÊME.**

P.-P.-S.: ** (Celle où je disais que j'en avais marre du cousin.)

** JE NE LE PENSAIS PAS

VRAIMENT!

QUOI?????????

**** J'ai bien le droit de changer d'idée!

Finalement, je veux retourner au KAMP P. en même temps que mon cousin et mes amis!

(SI J'Y VAIS L'AN PROCHAIN.)

Lolo: Euh... Tu ne les veux vraiment pas?

Il fait non de la tête. Il ne les veut <u>vraiment</u> pas!!!

JE CAPOTE.

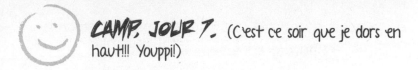

CAMP, JOUR 7. (C'est ce soir que je dors en haut!!! Youppi!)

(Une semaine, déjà. Ça passe trop vite.)

> Dans le lac. Pas de sangsues sur moi. FIOU!

Je me baigne avec mes amis.

** Je dois avouer que je pense à l'histoire de **Victor Le Mort** et au fait que son corps n'a jamais été retrouvé. Ça fait **50 ANS** et, si jamais on le retrouvait après tout ce temps, il ne serait plus très très beau. **OOOOOH...**

Lucas arrive et me demande de sortir de l'eau. Il m'ordonne de me dépêcher et il a un visage très sérieux. OH OH...

Je sais que je n'ai rien fait de mal. Enfin, je pense. Alors, je suis seulement inquiet à $\frac{1}{2}$... (** Peut-être aux $\frac{3}{4}$ ou aux $\frac{4}{5}$. Non, aux $\frac{7}{8}$. C'est plus, non? **ARGH**... peu importe. Je suis rendu inquiet à presque *100 %* maintenant.)

Moi: Qu'est-ce qu'il y a?
Lucas: T'as un appel. Viens.

UN APPEL??

Je pensais qu'on n'avait pas le droit de recevoir d'appel?? Seulement en cas d'... OH OH...

D'URGENCE!

OK = JE SUIS RENDU INQUIET À 200 %.

P.-S.: ** Quand j'imagine qu'il y a quelqu'un de mort dans ma famille, j'espère presque tout le temps que c'est <u>Mémé</u>, ou @#$%?&, des fois. (* * Euh, une fois qu'on est mort, on est mort, on ne peut pas revenir, alors pas Tutu, j'aurais vraiment trop de peine.) Non, mettons que c'est FRILEUX. Ce serait quand même moins grave, mais j'aurais beaucoup beaucoup de peine. OK, disons Mémé. C'est mieux, je vais être moins énervé, le temps de marcher jusqu'à SAKA.

P.-P.-S.: ** SAKA est le nom de la cabane principale, où il y a tous les bureaux administratifs du camp.

P.-P.-P.-S.: ** J'avoue que je tremble un peu. C'est peut-être mamie? Ou papi? En y pensant, je sens ma gorge se serrer et j'ai le goût de vomir. Je suis bien trop jeune pour perdre mes grands-parents. * * Je promets que je ne ~~serez~~ serai plus jamais fâché s'ils ne me rapportent pas de cadeaux de voyage. Et je ferai semblant d'aimer ceux que je n'aime pas.

P.-P.-P.-P.-S.: ** J'espère que c'est Mémé, s'te plaît, s'te plaît, s'te plaaîîîîîîîîîîîttttttttttt!!!!

J'arrive au bureau et madame Janine m'attend, le téléphone en main.

Mme Janine: Charles? Tiens, ta maman veut te parler.

FIIIIIIIIIOUOUOUOU!!!!!

** Au moins, ce n'est pas maman...

Je prends le combiné.

Moi: Allô?
Maman: Allô, mon trésor.
Moi: ...
Maman: Je ne sais pas comment te dire ça, mais il est arrivé quelque chose à Amélie.

FIIIIIIOUOUOUOUOUOUOU!!!!!!!!

** C'est juste ma sœur... ben, demi-sœur.

** Il peut lui être arrivé n'importe quoi, on s'en fout.

TOUS les muscles de mon corps se relâchent. Papi, mamie, papa, Tutu, Lulu... et Friteux sont corrects.

Moi: Qu'est-ce qu'elle a, encore?

Maman: Elle s'est fait ~~hourté~~ heurter à vélo par une voiture.

(** POUR MOI-MÊME:)
Ayoye!! C'est donc ben cool, ça!!!

Moi (je fais semblant d'être consterné)**:** Ah oui? Par une voiture?

MADAME JANINE M'OBSERVE...
ELLE REMARQUE MON SOURIRE.

Maman: Lolo, je sais que vous avez vos différends, mais elle est très amochée. Elle a subi une grave commotion cérébrale et elle a été dans le coma pendant *DEUX* jours. Elle vient de se réveiller.

Moi (là, je suis sincèrement consterné, un peu au moins)**:** Dans le coma???

** Oh, ça, c'est déjà moins drôle.

* Je ne sais pas pourquoi, mais je suis incapable d'arrêter de sourire et j'ai le goût d'éclater de rire. Ça m'arrive parfois quand j'apprends une mauvaise nouvelle, et là, disons que j'ai le goût de rire.

Madame Janine me regarde encore, je me mords l'intérieur des joues pour ne plus sourire. (Mais elle voit bien que je souris.)

Maman: Ce n'est pas drôle, Lolo.

**

Je le sais. Je n'ai même pas ri. Je ne comprends pas pourquoi elle dit ça. Oh, oui, c'est ma mère, la sorcière... Elle ne m'entend pas rire, mais elle lit dans mes pensées et devine que j'ai le goût de rire. Je ne m'ennuie pas d'elle, ça, c'est certain.

Moi: Elle a-tu perdu la mémoire?
Maman: Lolo, ne parle pas comme ça!
Moi: Non, maman, je suis sérieux. Est-elle correcte?
Maman: Elle a subi plusieurs fractures... (Elle se met à pleurer.)

** Oh, elle pleure, et Mémé n'est même pas sa vraie fille... J'ai moins envie de rire... ou presque.

Maman: ... le bras, le bassin, le coude, le fémur droit, le talon gauche et le nez.

ENCORE LE NEZ???

RAPPEL: Elle se l'est cassé l'an dernier en tombant.

Moi: ... (Sérieux, les mots me manquent, pour faire une blague plate.)
Maman: Elle a dit ton nom dès qu'elle s'est réveillée.
Moi: Han? Comment ça, elle a dit mon nom?
Maman: Je ne sais pas, mais elle aimerait ça te parler. Crois-tu que tu pourrais être gentil et

l'appeler à l'hôpital vers *18 H 30* ? C'est l'heure à laquelle elle peut recevoir de la visite. J'y serai. J'ai parlé à madame Janine et elle me dit qu'elle peut faire une exception. Amélie voulait te voir, mais je lui ai dit que tu ne reviendrais pas pour ça. Elle est hors de danger, maintenant.

Moi: Pourquoi vous ne m'avez pas appelé avant?

Maman: ...

Moi: Maman?

Elle pleure encore.

Maman: Parce qu'on ne savait pas si elle se réveillerait ou pas.

J'avale ma salive (c'est quand même grave).

Moi: OK. Je vais l'appeler à 18 h 30.

Maman: Merci, mon cœur. Je n'ai pas eu de tes nouvelles, tu dois avoir du plaisir.

Moi: Excuse-moi, j'ai pas eu le temps de t'écrire, je suis trop occupé, c'est vraiment super, le camp.

Maman: On se parle plus tard. Bye.

Moi: Bye, maman, je t'aime.

J'ai les larmes aux yeux. Mémé. Un accident. Coma pendant deux jours. Elle n'aura peut-être plus de mémoire!
Hmm... Je pourrais en profiter pour –
EUH, NON!!!!
Faut pas que je pense comme ça

Je raccroche. Madame Janine m'observe avec sympathie. Maman a dû lui conter l'accident.

Mme Janine: Ça va?

Je fais **OUI** de la tête. Elle me regarde comme si elle avait pitié de moi.

Moi: Euh... elle est **pas morte**, quand même. Il faut pas s'énerver.

{ Gros malaise. Elle me fixe. En autant que je sois concerné, ce n'est pas de ses affaires. Elle ne connaît pas Mémé... }

Mme Janine: Comment te sens-tu?
Moi: Super bien. C'est juste ma grande sœur. C'est pas la fin du monde. On n'est pas très proches, de toute façon.

JE NE SAIS PAS POURQUOI JE VIENS DE DIRE ÇA. MÊME SI C'EST VRAI. UN PEU.

Mme Janine: Tu sais, j'avais un petit frère avec qui je ne m'entendais pas très bien non plus. Il s'est noyé à l'âge de 13 ans. J'en avais 14. Et on était en chicane.
Moi: Il est mort?
Mme Janine: Oui. (Elle prend une pause et on dirait qu'elle va se mettre à pleurer. Je ne sais pas où regarder.) Ça fait 50 ans, et il n'y a pas une journée qui passe sans que je regrette de ne pas lui avoir dit que je m'excusais de lui avoir mené la vie dure...

** C'EST BIZARRE, JE COMMENCE À VOIR DES PETITS POINTS NOIRS, ET JE ME SENS FAIBLE.

Moi: Il s'appelait comment?

Mme Janine: Je l'appelais .
Moi: V?

ELLE A UN PETIT SOURIRE EN SE REMÉMORANT...

On se fait interrompre par une autre vieille femme.

Vieille femme (je ne connais pas son nom)**:** Madame Lamarre?
Mme Janine: Oui, Jocelyne, donnez-moi une minute.

LAMARRE?

Moi: Votre nom, c'est... Janine <u>Lamarre</u>?

Elle hoche la tête.

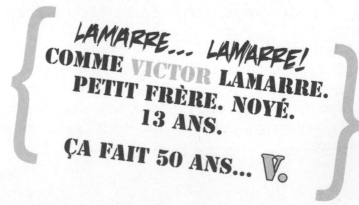

LAMARRE... LAMARRE!
COMME VICTOR LAMARRE.
PETIT FRÈRE. NOYÉ.
13 ANS.
ÇA FAIT 50 ANS... V.

OH NON!! Je suis parti en mauvais termes avec Mémé. J'ai voulu bien faire, mais elle m'a repoussé. Oh, et j'ai mis de la crème à barbe dans son lit. Elle était furieuse. Et là, si elle était morte, je...

AYOYE... EST-CE POSSIBLE QUE CE SOIT SA GRANDE SŒUR? ELLE EST AU CAMP DEPUIS 60 ANS...

Là, je pense à trop de choses en même temps.
Ouf. Il fait chaud ici, non?

OH OH... J'ai mal au cœur et les petits points noirs commencent à me brouiller la vue. Oh non, je pense que...

Mme Janine: Charles, Charles. Réveille-toi!

J'ouvre les yeux.

Moi (un peu mêlé)**:** Han?
Mme Janine: Tu as perdu connaissance.
Moi: Ah oui?

Je tente de me lever.

Mme Janine: Doucement. Prends ton temps.

Quelques minutes plus tard...
(Je me sens mieux, même si je repense à ce que je viens d'apprendre. Elle connaît un mort. Son petit frère V – pour **VICTOR**, sans aucun doute. C'est sûr que c'est le même. Je veux dire, il y en a combien, de p'tits gars qui s'appelaient V. Lamarre qui se sont noyés à l'âge de 13 ans il y a 50 ans?)

Moi: Ça va mieux. Merci. (J'hésite.) Je vais aller rejoindre mes amis.
Mme Janine: D'accord, si tu te sens mieux. Mais n'hésite pas à venir me voir pour quoi que ce soit. Je suis persuadée que tout ira bien pour ta sœur. Tu vas lui parler plus tard et elle sera contente d'entendre ta voix. C'est important.
Moi: Oui. OK. Merci.

J'ouvre la porte pour sortir...

William, Max, Joje, Jonathan et Vincent m'attendent.

Jonathan: Qu'est-ce qu'il y a?
Moi: Rien, c'est juste ma conne de sœur qui a eu un accident de vélo.
Joje: Han? Elle est correcte?
Moi: Ben oui. Ma mère s'est énervée pour rien.
William: Elle s'est-tu cassé quelque chose?

Moi: Ouain...
Vincent: Ah oui?
Joje: Quoi?
Moi: Ben là! On s'en fout!!!! C'est ma...
DEMI-SŒUR!!!!!!!!!!!!
Joje: Je veux savoir, moi. Elle est pas si conne,
Amélie, et moi, j'en ai pas, de sœur.

P.-S.: ** Je le regarde.

Moi: Fémur, nez, coude, bassin, talon, bras, je sais
plus trop, là... C'est pas grave.
Jonathan: Est-ce qu'elle portait un casque?
Moi: D'habitude oui, pourquoi?
Joje: Ben là, elle aurait pu se fracturer le crâne...
Moi: Elle a eu une grosse commotion cérébrale et
elle a été dans le coma pendant deux jours.

Joje me considère quelques instants...

PUIS... IL ÉCLATE DE RIRE!!!!!

Joje: Oh que t'es épais. Je peux pas croire que tu fasses des blagues là-dessus.

William: Ouain, Lolo, c'est pas très gentil de dire ça.

BEN LÀ!!!!! ILS NE ME CROIENT PAS!?!?!?!

Moi: C'est vrai! Je vous le juuuuuuuuure!!!

Ils se regardent tous et ne savent pas s'ils doivent me croire.

Moi: La seule raison pour laquelle mes parents m'ont pas appelé avant c'est parce qu'ils ne savaient pas si elle allait se réveiller ou pas.

Joje: Han? OK, je te crois, t'aurais pas pu inventer ça.

Moi: Ah non? Pourquoi?

Joje: Ben, parce que t'es pas assez intel... euh... parce que... parce que...

P.-S.: ** Là, je sais pas trop ce qu'il allait dire, mais il s'est repris. Il me gosse, des fois, lui, il se pense toujours meilleur que moi.

Joje: Pis? Là, elle est réveillée?

Moi: Ben oui.

William: Est-ce qu'elle se souvient de tout?

Moi: Oui, elle a demandé à me voir quand elle s'est réveillée.

ILS ÉCLATENT TOUS DE RIRE.

Joje: Aaaaaaaahhhhh!!!!!!! OK, là, je le sais, que tu mens!!!!!!!!

Chacun me donne une petite tape amicale sur l'épaule.

William: Lolo, quand tu mens, faut que tu saches quand t'arrêter, parce que là, c'est sûr qu'on ne te croit plus!!!

Vincent (me prenant par les épaules)**:** Viens. C'est l'heure de la collation.

Aujourd'hui, on a droit à de la crème glacée pour la collation. C'est ça, ou bien du melon d'eau. William a choisi le melon d'eau. Je pense que c'est lui qui est tombé sur la tête, et non Mémé.

* * Pas que je pense à elle.

Quelques heures plus tard...

P.-S.: ** Il est 17 h 07. Encore 1 heure 23 à attendre avant de parler à ma sœur... ben, demi-sœur, je veux dire. Amélie. Euh. Mémé.

* * Pas que je calcule.

P.-P.-S.: ** Je sais qu'elle est conne, ma sœur, mais ça ne doit pas être drôle. ~~Pauvre elle~~.

35 MINUTES PLUS TARD (ENVIRON)...

Je cours dans le bois. C'est très agréable.

** On joue à un super jeu trop long à expliquer. Honnêtement, c'est un peu compliqué, mais je fais semblant de comprendre et j'imite les autres.

Mais là, je ne sais pas pourquoi, je me mets à penser à Mémé. À ce que madame Jan— euh **LAMARRE** m'a raconté. Son frère, leurs chicanes. **50 ANS**. Mémé. Ça doit faire mal, de se faire heurter par une voiture. Moi, je suis tombé de mon vélo l'an dernier et...

*** AYOYE!!!!

*** J'ai pas vu la racine de l'arbre qui dépassait. Je me suis enfargé et je suis tombé.

Là, mon genou saigne *SOLIDE*. Ça me fait vraiment mal. * * Oh! Oh! Je suis incapable de me relever.

P.-S.: ** Je pense que je viens de me casser le genou.

Max: Lolo? Ça va?
Moi: Euh...

P.-P.-S.: ** Pas vraiment le goût de dire que j'ai mal, je vais passer pour un tata.

Mon cousin arrive. Il remarque mon genou.

Joje: Oh non! As-tu le genou cassé?
Moi: Ben non, voyons, c'est correct.

Je me lève et je commence à marcher...
(** Comme un tata.)

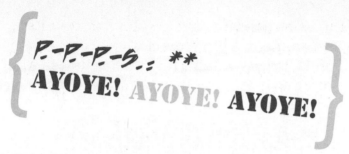

P.-P.-P.-5.: **
AYOYE! AYOYE! AYOYE!

Moi: C'est pas si pire.

P.-P.-P.-P.-5.: **
AYOYE! AYOYE!

P.-P.-P.-P.-P.-5.: ** C'est sûr que
Joje <u>sait</u> que je mens, parce que:
1) Je boite beaucoup, ça fait trop mal.
2) Il me connaît comme le fond
de sa poche.
3) Je suis un mauvais menteur.
4) J'ai les yeux dans l'eau (comme un tata).
5) Je suis incapable de mettre un pied
devant l'autre sans plisser les yeux.

Je retombe par terre. Joje se penche sur moi au lieu de me
tendre la main pour m'aider à me relever.

Moi: Qu'est-ce que tu fais?
Joje: Tu ne peux pas marcher comme ça.

Il me prend dans ses bras. * * Il est fort comme

LOUIS CYR.
* * Louis Cyr = l'homme le plus fort du monde.

Moi: Qu'est-ce que tu fais?

Joje: Je t'emmène à l'infirmerie!!

Moi: Ben là, tu vas te faire mal au dos, laisse-moi!

Joje: Lolo, t'es léger comme une plume. C'est correct.

P.-S.: ** **EUH!!!!!!**

Je suis **TELLEMENT** pas léger comme une plume!!!! C'est quoi, son problème, lui???

P.-P.-S.: ** Il est plus grand que moi, mais ça ne fait pas de moi une plume. C'est lui qui est un

GÉANT!!!

Joje: Lolo, je ne veux pas que tu empires ta blessure. Je veux juste ton bien. T'es mon cousin, pis je t'aime.

P.-P.-P.-S.: ** Il est vraiment gentil de me dire ça. Non? On dirait que je me sens déjà mieux.

Moi: Merci, Joje, t'es vraiment un bon cousin. Mais je pense que je peux marcher.

** J'essaie.

Moi: Oui, c'est mieux. C'est juste une grosse écorchure.

Max: Ouais, ça a l'air de ça. Si c'était cassé, tu crierais au meurtre.

Moi: Oui, je sais. Imagine ma pauvre sœur, comme elle doit souffrir avec toutes ~~ces~~ ses ~~factures~~ fractures.

** Là, ~~tout le monde~~ me regarde.

OH NON!!!

P.-S.: ** Je ne viens pas de dire ça tout haut??? Mais je suis donc épais de montrer à mes amis que j'ai pitié d'elle!

Moi: Quoi? Je fais juste le dire. C'est pas comme si j'étais inquiet pour elle, quand même. Pour qui me prenez-vous?

Ils se regardent tous, et c'est Joje qui répond:

Joje: Pour un gars qui est inquiet pour sa grande sœur.

Moi: DEMI-SŒUR!!!

AAARGH... C'est gossant de toujours devoir répéter ça. DEMI-SŒUR et SŒUR, ce n'est pas du tout la même chose. Je ne vois pas ce qu'il ne comprend pas là-dedans. Il est intelligent pourtant (d'habitude).

Joje: Même chose. (Il remarque que je boite et me reprend dans ses bras.)
Moi: Qu'est-ce que tu fais??
Joje: Je t'emmène à l'infirmerie.

DEUX HEURES PLUS TARD...

Je sors de l'infirmerie... avec des béquilles!!!

AUCUN

COMMENTAIRE.

JE SUIS EN

#$%?&**&?ϖφθ
αΨ?%%$#@$%*%*$&$
&#?#?@?@%@%#%#%$#@!#$%?
%@%√#®*⌘★∞>ϖφθαΨζ$£¥€≈.

Il faut que je me serve de mes béquilles pour les deux prochains jours. Et, demain, je vais devoir garder la jambe surélevée, sur un coussin, et ne pas bouger, pour guérir plus vite. **OH**, et mettre de la glace pour que ça désenfle.

P.-S.: ** Ma ~~maudite conne de~~ sœur. C'est de sa faute si je me suis blessé.

J'AI COMPLÈTEMENT OUBLIÉ DE L'APPELER!!!

Là, je me grouille (du mieux que je peux, compte tenu qu'avec les béquilles, je ne dépasserais pas un escargot même si ma vie en dépendait) pour me rendre à la réception et appeler ma sœur. Je suis très en retard.

C'est l'enfer, les béquilles. Oh! Si seulement Joje pouvait me transporter jusque-là. Ça irait tellement plus vite.

J'arrive (enfin) au téléphone.
Ma mère répond.

Maman: Franchement, Lolo, t'aurais pu appeler à l'heure! Mélie a attendu ton appel pendant une heure.

★★ **EUH!!** Bonjour à toi aussi.

Lolo: Excuse-moi.
Maman: Tu l'as fait exprès. Je pensais que tu aurais plus de considération que ça. Elle a eu beaucoup de peine.
Lolo: Maman!! Je me suis tordu le genou dans le bois et ça a été l'enfer, y'a fallu que Joje me transporte pendant une heure.

★★ **EUH**, quinze minutes, plutôt, je crois, mais c'est plus dramatique de dire une heure. Elle est trop loin pour pouvoir prouver quoi que ce soit de toute manière.

* * À bien y penser, j'aurais dû dire deux heures. J'aurais fait plus pitié.

Lolo: Je suis allé à l'infirmerie, et là j'ai besoin de béquilles. C'est le bordel...

★★ **SÉRIEUX,** j'ai le goût de pleurer, mais je ne sais pas pourquoi. C'est pas si pire dans le fond. Mais c'est sûr que, si je pleure, ma mère va avoir beaucoup plus pitié de moi et me pardonner. Mais ça m'intrigue, cette soudaine envie de pleurer. Est-ce...

1) Parce que j'ai manqué ma sœur? (Euh, tellement pas!!)

2) Parce que j'ai mal au genou et que je me sentirais mieux si maman était là? (Hmm... Probablement pas. Mais ça m'aiderait sûrement... au moins à **76 %**... non, **89 %** quand

même, je ne vais pas dire **100 %** parce que je vais passer pour un loser.)

3) Parce que j'ai fait de la peine à ma sœur? (Impossible! J'ADORE lui faire de la peine... Euh... peut-être possible. Mais seulement à **21 %**... euh... **42 %**... mais pas plus.)

Maman: Oh mon Dieu!! Comment se fait-il que le camp ne m'ait pas appelée?

Moi: Parce que ça va. Je dois juste ne pas trop marcher pendant un ou deux jours. Je peux parler avec Amélie?

AMÉLIE?!?!?!?!

QU'EST-CE QUI ME PREND DE L'APPELER COMME ÇA???

P.-S.: ** Ça doit être les pilules contre la douleur qu'ils m'ont ~~donner~~ données. Ça me fait perdre la tête. Heureusement que personne ne m'a entendu.

P.-P.-S.: ** Madame Lamarre (c'est-à-dire la grande sœur de V (= Victor) ne compte pas. Seulement à moitié. Et elle m'observe. On dirait qu'elle veut s'assurer que je vais être gentil avec ma sœur.

P.-P.-S.: ** C'est pas mon problème, si elle s'est chicanée avec son frère et qu'il est mort avant qu'elle puisse s'excuser. Moi, je vais lui reparler, à ma sœur. Elle n'est pas morte. C'est pas si grave.

Maman: Elle vient tout juste de s'endormir. Je ne veux pas la réveiller, elle souffre beaucoup, la pauvre petite.

Moi: Est-ce que je peux l'appeler demain dans ce cas?

Maman: Oui, entre 8 h et 8 h 30. Sinon, après 15 h.

Moi: D'accord. Maman?

Maman: Quoi, mon trésor?

Moi: Pourrais-tu lui donner un bec sur le front de ma part, s'il te plaît?

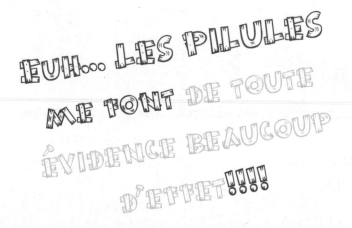

EUH... LES PILULES ME FONT DE TOUTE ÉVIDENCE BEAUCOUP D'EFFET!!!!

Maman: Bien sûr! Je ne lui dirai pas que tu dois appeler demain, au cas où tu aurais un autre empêchement.

Moi: OK.

P.-S.: ** Sérieux, c'est fou, ce motton que j'ai dans la gorge. Et l'autre qui me fixe sans cesse. De quoi elle se mêle?

Maman: À demain, Lolo. J'en profiterai pour te souhaiter bonne fête.

P.-P.-S.: ** En passant, c'est ma fête demain... Et celle d'Amélie aussi. Euh... Mémé. Ben oui, on a la même date de fête!

P.-P.-P.-S.: ** Je sais, je sais, je ne m'en suis pas trop vanté.

P.-P.-P.-P.-S.: ** Fallait ben que ça tombe sur elle.

Moi: Bye, m'man.

Je raccroche. Madame Janine est retournée à ses affaires.

Dommage, j'aurais bien aimé lui poser <u>quelques questions</u> sur son frère, le ꟽꝊꝐꞀ:

1) Est-ce vrai qu'il revient hanter les campeurs du KAMP P.?
2) Est-il un méchant fantôme?
3) A-t-il l'air d'avoir 13 ans, ou 63 ans?
4) J'aurais trouvé d'autres questions si elle n'était pas retournée à ses affaires.

Ah ben... Je fais demi-tour (pas évident, avec des béquilles).

Moi: Heille, qu'est-ce que tu fais là, toi?

C'est William.

William: Je suis venu te tenir compagnie. Au cas où tu aurais besoin d'aide.
Moi: Oh, merci, Will.

P.-S.: ** J'ai décidé que je l'appelais comme ça moi aussi. Après tout, c'est mon ami, je peux l'appeler comme je veux.

    ** Sauf «le gros», parce qu'il ne l'est plus. Et que ce n'est pas gentil.

    ** Il me tend mes béquilles.

Moi: Merci.
William: Plaisir.

Je suis un peu gêné. Avoir su qu'il écoutait...

Moi: Euh, ça fait longtemps que t'es là?
William: Oui.

Il voit ma gêne. Il éclate de rire!!

OOOOHHH...

Est-ce qu'il RIT de moi??

William (il passe son bras autour de mon cou): J'ai tout entendu. Mais t'en fais pas, je te trouve pas loser, si c'est ça qui t'inquiète!

    On se sourit.

William: En plus, on va pouvoir se parler un peu. On n'a pas été seuls depuis que je suis arrivé.

ENCORE CAMP, JOUR 7.

(J'en ai long à ~~dire~~ écrire aujourd'hui.)
** JE SUIS FRUSTRÉ CAR JE NE PEUX PAS DORMIR EN HAUT. C'EST TROP COMPLIQUÉ AVEC LES BÉQUILLES...

Il est environ 3 h. En tout cas, c'est la nuit, et je ne dors pas parce que:

1) Je pense à ma sœur.

1 A) Ça a dû lui faire de la peine que je n'appelle pas à temps.

2) J'ai mal à mon genou. J'aurais dû garder la glace plus longtemps, comme l'infirmière me l'avait recommandé.

3) Sérieux, ça doit être l'enfer. Moi, c'est juste mon genou; elle, c'est pas mal plus. ~~Pauvre elle.~~

4) Je vais m'excuser auprès d'Amélie demain.

4 A) <u>NO</u> **WAY!!!** Pas question que je m'excuse.

5) On verra...

CAMP, JOUR 8.

(C'EST MA FÊTE!! Et celle de Mémé.)

** De retour dans le bureau de madame Janine (= la grande sœur de **Victor Le Mort**).

~~Mémé~~ **Amélie** (avec une petite voix): Allô?
Moi: Amélie?

C'est plus fort que moi, des larmes se mettent à couler dès que j'entends sa ~~douce petite~~ voix.

~~Mémé~~ Amélie: Je suis contente de te parler.
Moi: Escuse-moi pour hier.

ZUT! Quand je suis trop secoué, ça sort toujours « e S cuse » au lieu de « e X cuse ». C'est immanquable.

** Beau tata, han?

Amélie: Pas grave. Maman m'a dit que tu t'étais blessé? Pauvre toi.
Moi: Ben non! Pauvre toi! Comment ça va?

* **ÉPAIS...** ça va mal, je te sais.

Amélie: Correct.
Moi: Pourquoi t'es tombée comme ça? T'aurais pu te tuer.
Amélie: J'ai fait exprès.

EUH... OK, elle me niaise, c'est sûr.

Moi: Tu me niaises, han?
Amélie (avec un petit rire)**:** Oui. Oh, Lolo, si tu savais... Je vais devoir rester à l'hôpital encore au moins une semaine.

** Elle se met à pleurer.

Moi: ...
Amélie: (Elle pleure toujours.)

Moi: Voyons, Mélie, pleure pas, ça va bien aller. C'est notre fête en plus. BONNE FÊTE!!

Amélie: Je ne peux même pas fêter avec mes amis.

Moi: Moi non plus. J'ai pas le droit de mettre du poids sur ma jambe aujourd'hui.

Amélie: Bonne fête à toi aussi. J'te dis qu'on fait dur, han?

(J'éclate de rire, mais c'est la nervosité.)

Moi: Scuse, je voulais pas rire.

Amélie: Tu peux ben, on est mieux d'en rire. Je m'ennuie, à ne rien faire ici, toute seule. Toi, au moins, t'es sur le bord d'un lac.

Moi: T'as pas ton iPad?

Amélie: Oui, mais je peux juste me servir d'une main. Pas fort.

Moi: Ben, je vais t'envoyer des courriels. Je peux pas bouger aujourd'hui, et je sais pas encore pour demain.

Amélie: C'est gentil.

Moi: Je veux juste te dire « excuse ».

Amélie: Pourquoi?

Moi: Ben… (Je dois faire attention de ne pas trop m'incriminer.) Pour… des fois… quand je fais des… choses que tu n'aimes pas.

Amélie: OK. Je vais te laisser. Je ne me sens pas bien. Bye, Lolo.

Moi: Bye, Mélie.

OUF. Je me retourne vers **MADAME LAMARRE**, et je lève le pouce. Bon, j'ai la conscience tranquille maintenant. (~~N'importe quoi peut arriver, ça me dérangera pas.~~)

Je retourne à ma table de pique-nique. C'est la journée à l'envers aujourd'hui, alors tout notre horaire est à l'envers. Je pense même qu'on va avoir des crêpes ce soir pour souper. *COOL*, quand même.

<u>Plusieurs heures plus tard…</u>

Je me réveille avec un petit mal de cou. Je suis installé sur une chaise longue en bois pas trop loin du lac et j'ai dû dormir pendant une heure ou deux. Comme je ne peux rien faire, j'ai pris du papier et un crayon et j'ai écrit à MÉLIE. (*AAARGH*, il faut que j'arrête de l'appeler comme ça, je ramollis, je trouve.)

Je veux dire:

MÊMÊ. MÊMÊ. MÊMÊ.

** Bon, ça devrait m'être rentré dans la tête.

Mon moniteur, Lucas, est venu me demander si j'avais besoin de quelque chose, alors je lui ai donné le papier pour qu'il envoie le message à Mémé par courriel.

À: melie_make_up@(secret!!).com
De: lolo4428@(secret!!).com

Salut Mélie,

Je pense à toi. J'espère que tu vas mieux depuis tantôt.

J'étais content de te parler. Mes amis ont oublié ma fête.

À +,

Lolo

SÉRIEUX, c'est vrai que tout le monde a oublié ma fête (en tout cas, ceux qui étaient au courant). C'est vraiment plate. Ça aurait dû être ma plus belle fête.

12 ANS, c'est censé être spécial, non?

Je suis perdu dans ma rêverie et j'entends des cris qui viennent vers moi. Je me retourne pour voir ce qui se passe, et j'aperçois **JOJE, WILL, MAX, ALEC, VINCENT** et **JONATHAN**.

Jonathan: Lolo!

Il a un jeu de cartes en main.

Moi: Qu'est-ce que vous faites, les gars?
Joje: On a demandé une permission spéciale pour sauter une activité et rester avec toi.
Moi: SÉRIEUX??
Max: Ben oui! On peut jouer aux cartes ou à quelque chose d'autre.
William: Tu décides. C'est ta fête!!!

HAN?? ILS N'ONT PAS OUBLIÉ MA FÊTE?????

J'ai dû faire une face, parce que Joje me regarde et me dit:

Joje: Tu pensais quand même pas que j'avais oublié??

P.-S.: **IL EST TROP MÉGA HOT, MON COUSIN!!!!!

P.-P.-S.: ** Dans le fond, je le savais, qu'il n'allait pas oublier!!

** <u>Menteur.</u>

Finalement, on a passé l'après-midi à jouer aux cartes. Pas mal cool malgré tout.

Après, ils m'ont pris et ils m'ont lancé dans l'eau. C'était vraiment le fun, parce que, dans l'eau, j'ai pas besoin de mettre de poids sur ma jambe.

> ** En plus, ça me fait beaucoup moins mal qu'hier. C'était pas une vraie entorse, je crois, parce que je suis persuadé que je pourrai marcher dessus demain.

J'ai eu des nouvelles de Mémé à la fin de la journée. Elle avait lu mon courriel et y répondait.

À: lolo4428@(secret!!).com
De: melie_make_up@(secret!!).com

Salut Lolo,

Merci pour ton courriel... même s'il est court. Désolée que tes amis aient oublié ta fête. Donne-moi leur courriel et je vais leur envoyer un mot pour le leur dire. Haha.

Mélie x

LE SOIR:

C'est un repas à l'envers, alors on va manger le dessert en premier. Lucas m'a dit qu'il irait me chercher mon repas, puisque je ne peux pas marcher.

> ** En fait, je peux, mais c'est un peu compliqué de tenir le plateau, avec mes béquilles. Je vais les utiliser encore ce soir, parce que c'est agréable de se faire servir le jour de sa fête, mais demain je n'en aurai plus besoin, j'en suis certain.

Mes amis sont tous partis chercher leur souper, alors je suis assis seul à la table.

P.-S.: ** Je ne suis pas VRAIMENT loser, parce que tout le monde sait que je suis blessé. Au contraire, je pense qu'ils ont pitié de moi, parce que je ne peux rien faire. Quand même cool...

P.-P.-S.: ** Mais personne (d'autre que mes amis) ne sait que c'est ma fête. C'est poche.

Là, j'entends de la musique. Tous mes amis arrivent en même temps en plein milieu de la cafétéria.

Joje est au centre avec un gros gâteau et des chandelles, et William a une guitare dans les mains, il me joue **BONNE FÊTE!!!!** Tout le monde se met à me chanter

P.-P.-P.-S.: ** **Vraiment** tout le monde du camp. Ceux qui sont là en tout cas.

P.-P.-P.-P.-S.: ** Ceux qui ne savaient pas que c'est ma fête aujourd'hui le savent, là.

P.-P.-P.-P.-S.: ** Je suis, genre, POPULAIRE aujourd'hui. Et je capote, tellement c'est le fun!!

<u>Je dois avouer ~~deux~~ trois choses:</u>

1) Je ne savais pas que William jouait de la guitare.
2) Il joue très bien.
3) Il a une belle voix!!

C'est la meilleure fête de ma viiiiiie!!!!

Moi (à William): Je ne savais pas que tu jouais de la guitare.
William: Et du piano aussi.
Moi: Merci. C'est drôle, j'aurais jamais pensé que tu chanterais devant tout le monde.
William: Ben là, je ne suis plus gros.

** EUH, RAPPORT???

William: Plus t'es gros, moins tu veux prendre de place. Je me sens plus à l'aise maintenant, alors je suis moins gêné qu'avant.

Premièrement: Comment a-t-il deviné que je ne voyais pas le rapport?? (Pas important.)

Deuxièmement: Ça a du sens, ce qu'il dit. Justement, je trouve qu'il s'affirme beaucoup plus ici, au camp, qu'avant. Je ne pensais pas que c'était parce qu'il avait perdu 200 livres (j'exagère à peine). Mais je vois mieux comment il se sent. C'est le fun de discuter avec nos amis, de savoir ce qu'ils pensent et comment ils se sentent parfois. Ça nous aide à mieux les comprendre, non?

<u>CAMP, JOUR 9.</u>

Encore dormi en bas...

Il pleut à boire debout dehors. (Pour faire changement = je suis sarcastique.) En plus, il y a des orages, alors on n'a pas le droit d'aller dehors, car c'est trop dangereux.

P.-S.: ** Je pense que c'est à cause de moi qu'il pleut aujourd'hui. J'ai prié toute la nuit pour qu'il pleuve.

QUOI???

Ce n'est pas ma fête aujourd'hui. Peut-être que les gars n'auraient pas voulu rester à ne rien faire avec moi. C'était mieux de ne pas prendre le risque.

De toute façon, je ne pense pas que ça soit **VRAIMENT** de ma faute.

{ SÉRIEUX??? DEPUIS QUAND UN ENFANT DE 11 ans, EUH, MAINTENANT 12 (faut que je m'habitue) PEUT-IL CONTRÔLER LA TEMPÉRATURE???? }

De toute manière, on n'a pas le choix. Façon de parler. Après le déjeuner, on retourne à DAMGA. On est tous assis au milieu, sauf William, qui devait passer par l'infirmerie pour se peser (??????).

Soudainement, on entend un méga gros cri venant de la forêt.

Max: On dirait que c'est William!!
Moi: Ah oui?
William: Aaaaahhhhh... À l'aide!!!

C'EST VRAIMENT WILLIAM!!

Moi: Vite!!

Tout le monde se lève en trombe. Sauf moi, qui fais du mieux que je peux.
Le temps que je sorte, ils sont tous déjà partis. Je baisse la tête. Puis j'aperçois Alec qui revient vers moi.

Alec: *Sorry*, Lolo. *Toute* le monde sont allés à la *nursery* pour William. Il a piqué lui des *bees*.
Moi: Oh, non! Des abeilles? Combien?
Alec: Pas savoir, moi.

Une heure plus tard... (Mais ça me semble quatre heures...)

William entre dans la cabane. Il est amoché.

Moi: Ah! Enfin! J'étais inquiet. Comment vas-tu?
William: Fa fait mal, mais fa fa mieux. F'ai neuf piqûres d'abeille.
Moi: C'est l'enfer, ça...
William: La pire, f'est felle sur la lèfre.

> ** Je n'en doute pas, sa lèvre est tellement enflée qu'il a de la difficulté à parler. Mais, pour moi, c'est son œil qui semble le pire.

William: Non, l'œil est pas pire car f'est la feule plafe où le dard est pas rentré dans la peau.

Moi: Ouain, mais c'est pas ben beau.

** C'est vrai, il a l'œil droit presque tout fermé. Gonflé à l'os.

William: Fe fais. F'ai fu...
Max: Ne parle pas, Will, ça te fait mal...
Moi: Et on comprend rien!!

ON ÉCLATE TOUS DE RIRE!

Ça tombe bien! William doit se reposer, alors on va rester dans la cabane et en profiter pour établir les règlements de notre nouveau pays:

P.-S.: ** Là, il y a déjà de la chicane parce que Joje aimerait qu'on appelle ça WILOMAJO.

* * Pour nous quatre, mais si j'ajoute Joje dans le nom, faudrait aussi que je rajoute Vincent + Jonathan = WILOMAJOVINJO... = trop long.

* * Et là, il y a Alec qui me regarde en voulant dire: « *Me too* » – traduction = « **Moi aussi** »... Qu'est-ce que *I am supposed to do*??

Sérieux, s'il faut que je prenne tous les noms de mes amis pour leur faire plaisir, ça ne finira plus, je vais être obligé d'appeler ça:

WILOMAJOVINJOVINSATULU.

Je ne suis même pas capable de le prononcer sans le lire. En plus, ça ne « fitterait » jamais sur un t-shirt!!

Après maintes discussions, on s'est entendus sur le nom officiel: **WILOMAX**.

William le prononce:

Joje est quand même heureux, parce que je l'ai nommé

FAUX-VICE-PREMIER MINISTRE.

* * Évidemment, c'est <u>moi</u>, le faux-premier ministre!!!

P.-S.: ** Mais il dit qu'il va me convaincre de changer le nom pour

.

** Je vais y penser. Dans le fond, on est quatre mousquetaires. Je dois avouer que j'ai de la difficulté à dire non.

Alors, voici certaines lois approuvées par le conseil (NOUS!):

1) Notre pays se trouve sur une île déserte au milieu de **l'océan Pacifique** (parce que l'eau y est tellement transparente et turquoise, et chaude. On peut tout voir au fond de l'eau, même les affaires qu'on ne veut pas voir. Genre les morts. **OOOHH**, pas sûr que j'aime ça.).

À revoir.

2) RÉCRÉATIONS À VOLONTÉ!

2A) Euh... mais quand pourra-t-on apprendre à lire et à écrire? Hmm...

À revoir.

3) BONBONS À VOLONTÉ!!!

3A) Euh... William soulève un bon point: quand on en mange trop, on a mal au cœur. Faudrait quand même aussi manger des fruits et des légumes??

À revoir.

4) PAS DE COUVRE-FEU!!

On peut rentrer à l'heure qu'on veut!!!

4A) Euh... Sauf si on a peur du noir. (C'est normal d'avoir peur du noir, non?)

À revoir.

5) *P.-S. :* ****** Finalement, il a arrêté de pleuvoir. On va aller jouer dehors parce que nos lois ne sont pas très concluantes.

P.-P.-S. : ****** Ça fait quand même du bien, des vacances de frères et sœurs et de parents!!

P.-P.-P.-S. : ****** En passant, faut que j'écrive à Mémé.

On va donc tous sur le bord du lac pour nager (même William dit qu'il est correct. Mais, s'il a le moindre petit symptôme, il doit retourner à l'infirmerie.). J'ai encore mal au genou, mais c'est moins pire dans l'eau. Faut juste que je fasse attention.

Je suis tout de même allé porter un petit mot à envoyer à ma sœur par courriel. Rien de très long. Juste: «Bonjour, passe une belle journée!» Elle m'en a renvoyé un, que je lirai plus tard.

Finalement, je suis sorti de l'eau avant les autres. J'ai mal au genou, alors je prends ça relax. Mais c'est pas grave, parce que je suis avec mes amis et je les regarde nager et faire du ski nautique. Je retournerai à l'eau demain. Mais, pour aujourd'hui, j'aime mieux ne pas me forcer. ~~Pauvre Mémé, elle doit trouver le temps long, toute seule dans sa chambre d'hôpital... J'espère au moins que ses amis vont la visiter.~~

Plus tard dans la soirée:

Je retourne à ma cabane après le souper, juste avant le feu de camp. Mes amis ont décidé de rester dans la cabane principale pour jouer à des jeux.

Je vais lire le petit mot de Mémé...

De: melie_make_up@(secret!!).com
À: lolo4428@(secret!!).com

Salut Lolo,

Je vais un peu mieux, mais je souffre encore. Je devrais sortir de l'hôpital le lendemain de ton retour. J'ai moins mal à la tête, alors c'est bon signe, et je me souviens de presque tout... Sauf de toi. **Tu es qui déjà??** Ah! oui, mon p'tit frère achalant. Hahaha.

P.-S.: ** **HA HA.** Très drôle.
 ** (Je suis sarcastique.)

Merci pour ton courriel d'hier. Ça m'a fait plaisir, même si c'était court. Mes amis m'écrivent un peu, mais ils ne viennent pas me visiter... L'hôpital est loin de la maison, alors c'est compliqué. Les jumeaux sont venus ce matin, et tu sais comment c'est, Lulu s'est mise à pleurer en me voyant. La petite coquine, elle est attachante, celle-là.

P.-P.-S.: ** Je suis d'accord avec elle.
Pour une fois...

Bon, je dois te laisser, j'ai envie de pipi et l'infirmière vient d'arriver avec le pot.

EUH????? **

** Me semble qu'elle pourrait se garder une petite gêne. Pas obligé de tout savoir, moi.

Bonne journée,

ta sœur, Mélie

Je referme le courriel imprimé et le place dans mes affaires personnelles. Il y a un petit bruit qui vient de l'extérieur. Sûrement mes amis qui veulent me jouer un tour. Je vais les surprendre en sortant sans faire de bruit. Héhé.

Je prends mon chandail du KAMP P. et je sors de ma cabane. Un autre bruit. Je décide de faire le tour de la galerie, me collant contre le mur pour les surprendre et leur faire peur. J'avance tranquillement.

En tournant le coin, je me retrouve face à face avec **LUI**. Il est là, debout, droit devant moi, avec ses gros yeux cernés et son teint pâle. Directement dans ma lampe de poche.

Je sursaute (j'échappe ma lampe de poche) et me mets à courir vers la cabane principale. Je suis persuadé qu'il me suit. C'est lui. Le p'tit frère de l'autre. C'est...

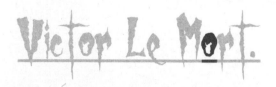

Je peux maintenant confirmer qu'il a encore **13** ans et non **63**...

J'ai mal au genou, mais tant pis. Je me fais attaquer par

un **FANTÔME!!!**

Moi: **JOOOJE!! JOOOJE!!**

P.-S.: ** Je ne sais pas pourquoi
je crie, mais c'est plus fort que moi.

J'arrive enfin à la cabane principale, où tous mes amis
s'amusent en riant de bon cœur. J'entre, essoufflé, et Joje
s'aperçoit tout de suite que quelque chose ne va pas.

Joje: Qu'est-ce que t'as, Lolo?
Moi: Je... je... il est... je...

P.-S.: ** Je <u>réfléchis</u>: vont-ils rire
de moi si je leur dis?? Théoriquement, ça
n'existe pas, les FANT★MES, alors mes amis
vont peut-être me prendre pour un débile.

P.-P.-S.: ** Je devrais garder ça
pour moi, juste au cas où ils décident de
me faire interner chez les fous.

P.-P.-P.-S.: ** Non, je ne peux pas
faire ça. C'est contre les règlements de
Wilomax, euh, non, Wilomajo.

** Oh, zut, avions-nous pris une décision
à ce sujet?

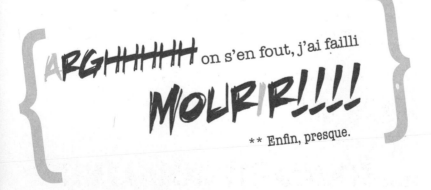

{ ARGHHHHH on s'en fout, j'ai failli
MOURIR!!!! }

** Enfin, presque.

127

P.-P.-P.-P.-S.: **Mais je l'ai vuuuuuu!!!

Joje: Calme-toi! On dirait que t'as vu un MORT!!

LÀ, JE GÈLE. Mais c'est plus fort que moi. Ça sort tout seul. Je dois le leur dire. Ce sont mes amis et nous sommes tous en

DANGER DE MORT!

Moi: Victor... Victor Le Mort !!!!!

Will s'approche. ** Il comprend tout de suite ce qui se passe. Peut-être que c'est parce qu'il n'est plus gros qu'il comprend mieux??

AAARGH... Aucun rapport. Une chance que je n'ai pas dit ça tout haut. De toute façon, c'est vraiment pas le moment. Faut que je sauve ma peau. Je suis trop jeune pour mourir, moi.

Will: Han????? Tu l'as fu??

Je fais oui de la tête en tentant de reprendre mon souffle.

Will: Où fa??

** William fait peur avec son œil qui ne désenfle pas.

** Il ne rit pas, il a l'air de me croire. Tant mieux. Au moins, je ne passe pas pour un détraqué mental.

Max, Vincent, Alec et Jonathan se sont approchés.

Alec: Tu nous *joke, yeah??*
Jonathan: Oui, tu nous niaises, là, han??
    ** Oh oh, j'aurais peut-être dû me taire, ils ne me croient pas.
Ils pensent que je suis fou.

<u>MAIS</u> JE L'AI <u>VUUUUU</u>!!!!

Joje se retourne vers lui, ou c'est le contraire, je suis mélangé,
et mon cœur bat à deux cents à l'heure. D'ailleurs, je suis
sûrement à la veille de faire une crise cardiaque, je devrais
aller me faire examiner à l'infirmerie, parce que mon cœur
bat trop fort et que je sens ma poitrine toute serrée.

Joje: Regarde-lui la face!! C'est sûr qu'il niaise pas!!

P.-S.: ** Merciiiiiii, Joje!

Max: J'avoue. T'es blanc comme un **FANT**. . .
euh, comme un drap.

    Will me regarde droit dans les yeux.

Will: Raconte-nous fe qui f'est paffé. Est-fe qu'il t'a
parlé?

P.-P.-S.: ** Est-il sérieux, lui là, ou
il se moque de moi??

Moi: Depuis quand un fantôme parle???
Alec: *Casper the Friendly Ghost*, il parler, lui!!

Alec éclate de rire. Il blaguait. OK, j'avoue que c'est drôle, même si le moment est un peu, disons... dramatique. J'ai quand même failli mourir. Ou presque. C'est **TRÈS** grave.

Moi: Non, il parlait pas. Il faisait juste me regarder.
Will: As-tu paffé ta main à trafers lui?

QUOI??????????

** NON MAIS, ÇA VA <u>PAS</u>, LA TÊTE???

** Sérieux, je pense que mon ami est un peu dérangé. J'aime beaucoup les films d'horreur, mais il y a quand même des limites. Ou bien il me fait marcher solide, ou bien il se paie ma tête.
** Ou il a encore trop de poison d'abeille dans le sang.

Moi: Je...
Joje: Ben non, Will, c'est sûr que Lolo est parti en courant dans l'autre direction, il est tellement <u>peureux</u>.
Max: Ha! Ha! T'as raison!

Alec, Vincent et Jonathan éclatent de rire.

EUH... ALLÔ??????

** C'est parce que je suis <u>DANS LA MÊME PIÈCE</u> que vous!!!!

P.-S.: ** J'en ai **MARRE** du cousin.

P.-P.-S.: ** Pourquoi il est ici, lui, de toute façon?

Joje s'avance vers moi et me prend par les épaules.

Joje: Ben non, je rigole. J'aurais fait la même chose que toi. C'est épeurant, voir un FANTÔME. Mais es-tu sûr que tu l'as vu? Je veux dire, est-ce que ça se pourrait que ça soit ton imagination?

Moi: Je l'ai vu comme je te vois. J'y pensais même plus.

Max: Mais avoue que c'est bizarre, non? Je veux dire, c'est pas possible.

Alec: Vous avez raison, Max, nous ne peut voir un GHOST.

Moi: Ooooh que oui, nous peut voir un GHOST.

Ils se regardent tous sans dire un mot.

Moi: Vous me croyez pas?

Joje: C'est pas qu'on te croit pas, Lolo, mais avoue que c'est spécial, de voir un FANTÔME.

Vincent: Oui, surtout après que j'ai raconté l'histoire de Victor Le Mort.

Alec: Moi, je vous croire, Lolo.

P.-S.: ** Oh, il est gentil, l'anglo. Même s'il faut toujours réfléchir pendant une demi-heure pour décoder ce qu'il dit.

Will: Moi auffi, je te crois. Et je penfe qu'il faut effayer de le troufer. Fenez, on retourne à

DAMGA.

P.-S.: ** J'ai hâte que **ça** désenfle, sa lèvre, lui. On comprend rien de ce qu'il dit, c'est pire que le français d'Alec.

Nous retournons à notre cabane. Mes genoux sont un peu mous.

J'espère qu'on ne verra pas **Victor Le Mort**.

** Euh, en fait, j'espère qu'on va le voir, comme ça mes amis vont me croire. Bien, j'espère qu'**EUX** vont le voir. **Pas moi.**

CAMP, JOUR 10. (Il est très tôt le matin.)

Le soleil se lève enfin. Je vais pouvoir sortir aujourd'hui. Pas de pluie.

{ PAS BESOIN DE MENTIONNER QUE JE N'AI PAS BIEN DORMI DU TOUT. }

** **J'AI PAS ARRÊTÉ DE PENSER À EUH... LE** FAN... VLM...

** J'ai peur ~~de prononcer~~ d'écrire son nom.

Peut-être que je n'ai pas vraiment vu **Vict**... Euh, je veux dire **VLM**.

Joje a raison, c'était ~~sûrement~~ mon imagination.

C'EST FINI, JE N'Y PENSE PLUS...

** Sauf quand je me baigne dans le lac, parce que j'y pense <u>toujours</u>. (Parfois, j'ai l'impression de le frôler dans l'eau, j'imagine qu'il va me prendre le pied et me tirer vers le fond pour ne plus être tout seul.) Et, si je le revois, je n'aurai pas le choix d'y repenser, malheureusement.

CAMP, JOUR 10. (Deuxième partie de la journée.)

Super journée!! Plein de sports. Tout le monde est excité parce qu'on joue à « Capture the Flag ». Le but consiste à voler le drapeau d'une autre cabane.

Mais on doit aussi protéger le nôtre. Et il faut le cacher. C'est vraiment cool. L'équipe gagnante aura le droit de ne pas nettoyer sa cabane pendant une journée!!!

Avant de parler de notre stratégie avec les autres, j'écris un petit courriel à ~~Mémé~~ Mélie ~~question de faire semblant qu'elle m'intéresse~~. Elle m'en a envoyé un hier et j'ai pas encore répondu.

De: lolo4428@(secret!!).com
À: melie_make_up@(secret!!).com

Salut Mélie,

J'ai lu ton courriel et je suis content de savoir que ça va un peu mieux, même si ça ne va pas encore bien.

** Je me contredis. Mais elle va comprendre. ~~Elle est intelligente~~.

Moi, j'ai du plaisir avec mes amis. C'est vraiment le fun, le camp. Je suis content d'être ici, même si des fois j'ai des problèmes avec Joje.
* * * * * **RÉPÈTE PAS ÇA, S'IL TE PLAÎT**.

Je dois te demander quelque chose. Je t'ai dit l'autre fois que Vincent et Jonathan m'ont conté l'histoire du p'tit gars qui s'est noyé. Tu sais? Il s'appelait Victor Lamarre. Ben, je ne sais pas comment te dire ça, mais… je pense que je l'ai vu l'autre soir sur la galerie… en… FANTÔME. Et je l'ai dit à mes amis, mais je ne suis pas sûr qu'ils me croient. Tu penses quoi de ça, toi?

Lolo✗

P.-S.: ** On aime ça, ajouter un « x » à la fin de notre nom, parce que c'est comme un faux bec. C'est difficile à expliquer, mais c'est ça. Elle le fait, alors je le fais. Comme ça, pas de problème entre nous.

Je pars rejoindre mes amis pour discuter stratégie.

Un peu plus tard...

Finalement, on n'a pas beaucoup discuté stratégie, on avait plutôt le goût de niaiser. Joje était un peu frustré. (Il est tellement compétitif. C'est poche. Il joue juste pour gagner.) Mais Alec et lui ont pensé à un plan et ils nous en parleront quand ça sera le temps.

Après le souper, c'est le temps de jouer, mais, avant, je passe rapidement à la cabane principale pour voir si j'ai un message de ~~Mémé~~ Mélie.

Cher Lolo,

Un FANTÔME????

hahahahahahahahahahahahahahahahahahahahahaha
hahahahahahahahahahahahahahahahahahahahahaha
hahahahahahahahahahahahahahahahahahahah!!!!!!!!!!!

SÉRIEUX????

hahahahahahahahahahahahahahahahahahahahahaha
hahahahahahahahahahahahahahahahahahahahahaha
hahahahahahahahahahahahahahahahahahahahahah!!!!!!!!!!!

ET ILS NE TE CROIENT PAS????

hahahahahahahahahahahahahahahahahahahahahaha
hahahahahahahahahahahahahahahahahahahahahaha
hahahahahahahahahahahahahahahahahahahahah!!!!!!!!!!!

JE NE COMPRENDS PAS POURQUOI.

hahahahahahahahahahahahahahahahahahahahahaha
hahahahahahahahahahahahahahahahahahahahahaha
hahahahahahahahahahahahahahahahahahahahahah!!!!!!!!!!!

Oh, sérieusement, Charles, là, tu me fais rire.
D'inventer cette histoire complètement ridicule!
Continue de faire aller ton imagination comme ça,
ça me fait du bien, de rire.

P.-S. : ** NOTE À MOI-MÊME = C'est sûr que je ne lui en parle plus. En tout cas, si j'avais des doutes, je sais maintenant qu'elle ne me croit pas, mais pas du tout; elle ne croit pas aux FANTÔMES, d'ailleurs.

P.-P.-S. : ** AUTRE NOTE À MOI-MÊME = Elle ne croit pas aux FANTÔMES et elle rit de moi??? Eh bien, dès que je vais revenir à la maison, elle va en voir un, FANTÔME.

P.-P.-P.-S. : ** Je vais quand même attendre quelques semaines, le temps qu'elle se rétablisse un peu. Au cas où. Je ne voudrais quand même pas qu'elle se retrouve encore à l'hôpital parce qu'elle a vu un FANTÔME dans sa garde-robe (**MOI DÉGUISÉ**). Je l'aurais sur la conscience.

Je continue la lecture du message:

Je suis contente de savoir que tu as beaucoup de plaisir au camp. Tant mieux pour toi. Maman t'a dit que j'ai dû lâcher mon emploi après seulement un mois? Mettons que je trouve ça plate, mais au moins mes patrons m'ont dit qu'ils me reprendraient, même à temps partiel, quand j'irai mieux. Ça fait quatre jours que je n'ai pas de nouvelles de Simon. Je pense que c'est vraiment fini.

** Ben oui! Elle dit toujours ça!!!
Je ne te crois pas, Mélie. Pas du tout.

Tu ne dois probablement pas me croire...

??????????

Mais c'est pas grave. Moi, je sais que c'est fini. Ça suffit. Un jour tu comprendras ce que je veux dire.

** **TELLEMENT PAS.** JE NE VEUX **RIEN SAVOIR** DES FILLES, MOI.

Même si en ce moment tu ne veux rien savoir des filles...

??????????

Sauf peut-être de Justine???? Héhé.

??????????

** Lulu s'est ouvert la trappe, c'est sûr. La bonyenne.

Bon, je dois te laisser, le pot à pipi arrive enfin.

** Est-elle obligée de toujours entrer dans les détails comme ça??? On dirait qu'elle le fait exprès.
** Sûrement qu'elle le fait exprès...

Aaaaahhh!! Ça va faire du bien, ça. Je te laisse.

Méliex

Je vais rejoindre mes amis à la cabane principale. Alec marche avec moi. Je l'aime bien, lui. Il est vraiment gentil. On s'est promis de s'écrire quand on va quitter le

KAMP P.

<u>Quelques heures plus tard...</u> (Encore la même journée. C'est fou comme il se passe des trucs dans une journée, au camp.)

On a eu beaucoup de plaisir, mais on n'a pas gagné. On a fini **2ᵉ** et Joje est frustré. Il **DÉTESTE** perdre. Il déteste ça

SOLIDE.

** Je suis tanné de le répéter, alors je n'en parle plus.

Joje: Si vous aviez suivi notre plan, aussi, ça aurait mieux été.
Vincent: Voyons, Joje, c'est pas la fin du monde. Moi, j'ai eu du plaisir.
Max et Jonathan (en même temps, cool)**:** Moi aussi!
Joje: Mais on aurait pu gagner si vous m'aviez écouté.
Alec: C'est pas grave.
Joje: Oui, c'est grave! On aurait dû gagner! On était bien meilleurs qu'elles. On s'est fait battre

par des  en plus!

Moi: Heille, le cousin, tu me tapes sur les nerfs, là!!

*** OUPS, C'EST SORTI TOUT SEUL.

Zut, d'habitude je garde ça pour moi, ce genre de commentaire.

*** ÇA AURAIT DÛ RESTER DANS MA TÊTE. POURQUOI J'AI DIT ÇA À VOIX HAUTE?????

** C'est sûr que je viens de me mettre dans le trouble solide.

*** TOUT LE MONDE SE RETOURNE. J'AI UNE BOULE DANS LA GORGE. MON COUSIN ME REGARDE.

Joje: Pour de vrai? Je te tape sur les nerfs?

*** ARGH!!! J'AURAIS DÛ ME TAIRE, QUE J'AURAIS DONC DÛ ME TAIRE.

Voici mes options:

1) Dire la vérité.
    ** Euh, ça va lui faire de la peine.
2) Dire que je ne le pensais pas.
    ** Impossible. Il ne me croira pas.
3) Euh... Aucune autre idée.
    ** Je suis dans le trouble.
4) M'excuser.
    ** Le mal est fait pareil.
5) Tant pis, je dis la vérité.
    ** Ben hâte de voir ce que ça va donner.

Moi: Euh... ben... Oui, des fois, quand tu perds. Tu chiales toujours quand ça arrive et ça me tape sur les nerfs.

OH! OH! PAS HÂTE DE VOIR SA RÉACTION.

Joje: C'est pas vrai!
Will: Joje, t'es un peu mauvais perdant, c'est peut-être ça que Lolo veut dire.

** ABSOLUMENT!!

Joje: Tu me trouves mauvais perdant?
Moi: Ben... des fois, oui.

140

Il me regarde sans dire un mot. Puis...

Joje: T'as raison. C'est vrai que je suis plate des fois.
Je vais essayer de m'améliorer, OK? Tu me le diras
quand je serai mauvais perdant. *Deal?*
Moi: Euh... *deal.*

** Des fois, pas toujours.

** Je n'en ferai tout de même pas
une habitude.

Il me prend par les épaules et sourit. On éclate tous de rire
en mangeant notre crème glacée. On se dirige enfin vers
DAMGA.

Je suis mes amis sur le chemin du retour. Nous parlons tout en
riant. *JOJE* est le premier, suivi d'*ALEC, JONATHAN, MAX* et *MOI.*
WILL et *VINCENT* sont loin derrière nous.

Il fait noir, mais nos lampes de poche sont toutes allumées. Je
me retourne pour voir les gars derrière.

{ ARGH!!!!!!!!!!!!!
** Il est là, devant moi, et me fixe de
ses grands yeux cernés sans dire un
mot. }

Moi (avec une petite voix): Le **FAN**... le **FAN**... **Vic**... euh...

(Je m'écrie:) C'est **VLM!!!!!!**

Les gars arrêtent de parler et se retournent vers moi.

Joje: Qui???

P.-S.: ** Je dois mentionner que je n'ai pas dit à mes amis que je l'appelais **VLM** parce que j'avais, genre, peur de prononcer son nom. Alors là,

DEUX SOLUTIONS s'offrent à moi:

1) Je leur avoue que **VLM** est Victor Le Mort.
2) Je garde ça pour moi.

Je me retourne vers Joje, puis je lève le bras pour montrer Victor Le Mort... euh **VLM.**

QUOI???????

IL N'EST PLUS LÀ!?!?!

Je balaie le paysage des yeux en tournant sur moi-même...

RIEN!!!

IL A DISPARU!!

** Option 2). Je garde <u>tellement</u> ça pour moi.

<u>Comme je vais encore passer pour un</u>:

1) épais;
2) retardé;
3) niaiseux;
4) épais;
5) con;

je décide de ne rien dire. Mais, encore une fois, le cousin intervient.

Joje: Lolo?? Tu viens de voir **Victor Le Mort**, c'est ça??

Moi: Tellement pas!!!!!

{
P.-S.: **DE QUOI JE ME MÊLE????
P.-P.-S.: ** <u>PAS QUESTION</u> DE LUI DONNER RAISON.
}

Joje: *TELLEMENT*, oui!!!! Regarde-toi la face!

143

Joje, Alec, Jonathan et Max me regardent et attendent que je réponde: « Oui, j'ai vu **VL** – euh... **Victor Le Mort.** » (Faut que je m'habitue à dire ce nom. C'est un peu loser d'avoir peur de prononcer le nom d'un mort. Dans le fond, ça arrive souvent, dans la vie. *EXEMPLE*: Je ne sais pas, moi, quand on parle d'anciens politiciens comme René Lévesque, ou d'anciens joueurs de hockey comme Maurice Richard, ou bien d'autres morts, là. Je n'ai pas d'autres noms qui me viennent en tête maintenant. Sauf qu'ils ne sont pas morts noyés, eux... hmm... ce n'est pas la même chose.)

<u>Je suis capable:</u>

Victor Le Mort Victor Le Mort

** Ouf! Ça fait du bien, ça!!!!

Will et Vincent nous rejoignent.

Will: Qu'est-ce qui se passe?

Joje: Lolo a revu Victor Le Mort !!!!

Vincent: HAN?? Pas vrai!!

Moi: Euh... Non, c'est pas vrai. Voyons donc. Je sais pas pourquoi il dit ça, lui.

Joje: Parce que je te connais. T'es blanc comme un drap. Pis, quand tu commences une phrase par « euh », c'est parce que tu caches quelque chose.

Moi: Euh... Tu dis n'importe quoi.

Max: Joje a raison. Tu dis toujours « euh » quand tu veux cacher quelque chose.

Alec: Et vous blanc comme un drap, Lolo.

Et là, je suis furieux (pour aucune raison valable), alors je place ma lampe de poche directement devant mon visage.

Moi: Ben là! C'est sûr que je suis blanc! Tiens! C'est à cause de la lumière de ma lampe de poche!

Joje: Calme-toi. T'as pas à t'énerver comme ça.

Je lève les yeux au ciel. Il me tape soudainement sur les nerfs, à force de se mêler de tout ce qui ne le concerne pas.

Moi (énervé)**:** Je ne suis **pas** énervé du tout! Je ne vois pas pourquoi tu dis ça!

Joje: Parce que tu l'es, énervé.

Moi: Aaargh... (Sérieux, il m'enrage.)

Joje: OK, d'abord. T'es pas énervé. Alors, moi, je dis qu'on part tous à la cabane, sauf Lolo. Tu restes CINQ minutes ici, puis tu viens nous rejoindre.

P.-S.: ** Il est pas sérieux, lui là???

Moi (tentant **DÉSESPÉRÉMENT** de rester cool): Je ne vois pas pourquoi je ferais ça. De toute façon, je suis fatigué.

Joje: Ah! Tu vois? C'est parce que t'as peur de Victor Le Mort!!!

** HEILLE!!!!!!!

MAUDIT COUSIN

~~DE MARDE~~!!!!!

Il met son bras autour de mes épaules.

Joje: Ben non, je te ferais jamais ça, voyons, Lolo. Je t'aime trop. Je suis sûr que, si je le voyais, moi aussi, j'aurais peur de Victor Le Mort.

P.-S.: ** Il est gentil, dans le fond, Joje. Je m'énerve toujours trop vite, avec lui.

Il me glisse à l'oreille alors que nous retournons à DAMGA:

Joje: Je comprends que tu ne veuilles pas en parler devant les autres, mais j'aimerais ça que tu m'expliques comment tu fais pour le voir. Je le cherche partout, tout le temps, et je ne le vois pas.

On se regarde et on se sourit. Il me fait un clin d'œil. Je ne sais pas s'il rit de moi, mais je ne pense pas. Ce n'est pas dans ses habitudes.

Arrivés à DAMGA, on se met en pyjama, et, comme tous les soirs, on parle un peu ensemble. On se raconte des histoires, des anecdotes, etc. J'adore ça, entendre des histoires de camp, surtout celles du KAMP P., sauf quand ça parle de

MORTS!!

Nous sommes tous assis en rond au milieu de la cabane, et Will me demande:

Will: Faut essayer de trouver Victor Le Mort. Lolo, comment fais-tu pour le voir, toi??

**JE FIGE. JOJE ME REGARDE.

Joje: Ben là, Will, c'est pas facile à trouver, un MORT!!
Max: Joje a raison. Comment veux-tu qu'on le trouve si on ne sait pas où il habite?
Alec: Haha! Il pas avoir maison!! Il être fantôme!!
Vincent: C'est vrai, ça! Il n'habite nulle part.
Jonathan: Oh que non!! S'il n'habite nulle part... il habite partout.

** J'AVALE MA SALIVE.

Will: C'est vrai, ça, c'est un **FANTÔME!!!**

Max: Ça n'habite nulle part. Ça hante des maisons. **Victor Le Mort** doit hanter le camp.

Will: Ou plutôt la cabane dans laquelle il dormait.

P.-S.: ** J'espère que **Victor Le Mort** n'était pas dans DAMGA.

Moi: Euh... (Oh, zut, encore ce mot! ** J'y peux rien, ça sort tout seul quand je suis nerveux.) Est-ce que vous savez dans quelle cabane il dormait?

P.-P.-S.: ** Pas dans DAMGA, s'te plaît, s'te plaît, s'te plaît.

Jonathan: Non, mais ce que je sais, c'est qu'à l'époque, il n'y en avait que QUATRE.

Vincent: Oui, c'est vrai, le camp était beaucoup plus petit.

Will: Lesquelles??

Jonathan: YSNAY, GANONCHIA, PAHA SAPA... et...

Vincent: DAMGA!!!!!!!!!

P.-S.: ** Ça y est, je vois des petits points noirs comme l'autre jour, je vais m'évanouir.

{ ** C'EST DE LA FAUTE À MADAME JANINE SI JE VOIS SON PETIT FRÈRE **FANTÔME** PARTOUT. }

P.-P.-S.: ** Joje me regarde et il voit que je ne file pas.

P.-P.-P.-S.: ** Sérieux, je crois que je fais une crise d'hyperventilation.

P.-P.-P.-P.-S.: ** Oh oh... Je pense que je devrais m'étendre pour ne pas me fracasser la tête sur quelque chose en tombant dans les pommes.

P.-P.-P.-P.-P.-S.: ** Ouf, c'est moi ou il fait très chaud ici, tout d'un coup??

P.-P.-P.-P.-P.-P.-S.: ** J'ai besoin d'eau...

QUELQU'UUUUUUUN??

Joje: Hahahahahahahahahaha!!!! Très drôle!!! Si vous pensez qu'on vous croit!! Comme si vous saviez ça, vous. Ça fait 50 ANS qu'il est mort!!!!!!

P.-P.-P.-P.-P.-P.-P.-S.: ** Bien dit, le cousin. Ouf, fait moins chaud, là. Et les petits points sont partis. Mais je prendrais bien un verre d'eau quand même.

Je pars *FINALEMENT* à rire moi aussi! Tous mes amis m'imitent ensuite.

Jonathan: Ben non, on vous fait marcher!

P.-S.: ** Tant mieux!!!

** J'espère, en tout cas.

P.-P.-S.: ** Ouf! Ça fait du bien de rire, enfin!

** Mais je ne suis pas convaincu à 100 %.

Je me retourne pour regarder William, qui est assis juste sous la fenêtre. Et je l'aperçois. Victor Le Mort est <u>encore</u> là, me fixant par la fenêtre de DAMGA.

Je suis sous le choc. Incapable de parler, incapable de bouger. J'ai le goût de dire à mes amis de se retourner pour le voir. Mais ça ne sort pas. Évidemment, le cousin le remarque tout de suite.

Joje: Qu'est-ce qu'il y a, Lolo?

Je ne bronche pas. Le regard de Victor et le mien sont bien ancrés l'un dans l'autre.

** Il n'est vraiment pas beau, le pauvre. Il a l'air d'un...
d'un... ben... euh, il a l'air d'un <u>VRAI</u> MORT.

Will: C'est Victor Le Mort, c'est ça??
Max: Allez, dis-le-nous!!

Et là, je ne fais que le pointer du doigt.

En une fraction de seconde, les gars se lèvent,
attrapent une raquette de tennis, un bâton de
baseball, une guitare *(WILLIAM)*, un ballon de soccer
(ELIH, RAPPORT???) et sortent de la cabane.

Je les regarde sortir, puis reviens vers Victor...

QUI A DISPARU!!!!

Je sors à mon tour et j'entends:

« Il est où??
Il est oùùùùùùùùùù??
Il faut le trouver!!
Je pas le voir!! Vite!
Faut encercler la cabane,
faut pas le laisser filer!!
Faut le tuer! »

** IMPOSSIBLE

de tuer un **FANTÔME**, épais.

Je vois tous mes amis dispersés autour de la cabane avec leurs « **ARMES** ». Ils cherchent **Victor Le Mort** du mieux qu'ils peuvent.

Soudainement, il réapparaît. Derrière eux. Je m'apprête à

indiquer aux gars où il est, mais il me **SOURIT**.

Victor Le Mort
me sourit!!!!

** JE NE BLAGUE PAS!!!!

UN **FANTÔME** QUI SOURIT?!?!?!?!?!

** Personnellement, je n'ai jamais vu ça.
** C'est normal, les **FANTÔMES**, ça n'existe pas.
Un **FANTÔME** qui sourit, encore moins.

Ensuite, il s'enfuit dans la forêt en courant.

JE DEVIENS TRÈS CALME.

Will: Lolo? Lolo? Le vois-tu??

* * * * Moi: NON. IL EST PARTI.

** C'est la vérité. Si je ne le vois plus, c'est qu'il doit être parti hanter un autre endroit. Quoi? Ça se peut! C'est ce que ça fait, les FANTÔMES, hanter des endroits. Ça, et faire peur aux gens, surtout aux garçons de 12 ans qui sont peureux.

** (C'est censé être une lune, mais je ne suis pas très bon en dessin...)

CAMP, JOUR 11.

Je me réveille le dernier. J'ai trrrrrrrrrès bien dormi, même si j'ai vu... euh, ben, monsieur le FANTÔME. (Je devais être trop fatigué de ne pas avoir dormi la veille.) Les gars sont très déçus de ne pas l'avoir au moins aperçu.

Will: Je ne comprends pas! On dirait qu'il y a juste toi qui peux le voir.
Joje: Ben non, moi aussi je pense l'avoir aperçu hier soir.

Il se retourne vers moi et me fait un clin d'œil.

Je quitte DAMGA plus tôt pour lire mes courriels.

J'en ai trois.

Un de Tutu: on s'en fout.

Je ne le lis même pas. Il va sûrement me

CHANTER (!!!!!!!!) des conneries.

* * Aucun intérêt.

Un de maman.

> ** Elle m'écrit <u>toujours</u> la même chose. Je le lis
> quand même, au cas où il y aurait quelque chose
> d'intéressant pour une fois, <u>comme</u>:

1) Tu vas avoir une augmentation de ton allocation en revenant du camp. Je reçois *TROIS DOLLARS* par semaine. Wow...

2) Mamie et papi t'invitent à Disney World pour ta fête.

3) On t'achète des nouveaux skis, une PlayStation, une Wii U, et tout ce que tu veux car on t'aime!

4) Tu vas avoir une grosse surprise en revenant, parce qu'on s'ennuie trop de toi.

<u>Je lis donc</u>:

À: lolo4428@(secret!!).com
De: maman@(secret!!).com

Cher Lolo,

J'espère que... bla bla bla.... **je pense que...** bla bla bla...
tes amis... bla bla bla... bla bla bla, bla bla bla...

Je t'aime bla bla bla...
Gros bisous,
Maman xoxoxoxox

* * Finalement, c'est un **copier-coller** du dernier
courriel. Rien de nouveau. Rien d'intéressant. Pas
le temps de répondre à des niaiseries de même, moi. On dirait
qu'elle pense que je n'ai rien à faire ici. Mais je suis trrrrrrrrès
occupé.

Le troisième courriel vient de ~~Mémé~~ Mélie. Zut!
J'y pense... Est-ce que j'ai répondu à son dernier
message??

À: lolo4428@(secret!!).com
De: melie_make_up@(secret!!).com

Cher Lolo,

Je n'ai pas eu de tes nouvelles hier. Tu dois être
trrrrrrrrrrrès occupé...

> * * Oui. Mais ça répond à ma question.

... à jaser avec ton... fantôme!!!

Hahahahahahahahahahahahahahahahahahahahahaha
hahahahahahahahahahahahahahahahahahahahahaha.

P.-S.: ** Ça y est, elle recommence.

P.-P.-S.: ** Elle va se mettre dans le
trouble avec moi si elle continue.

Ben non, je te niaise.

P.-P.-P.-S.: ** Elle était mieux, parce
que sinon...

Mais ça me fait du bien de rire, je commence à
trouver les murs très mornes. J'ai demandé à papa
de les peinturer, mais il ne veut pas. ;-)

À part ça, rien de neuf ici. Je prends un peu moins de
médicaments contre la douleur, et les médecins sont
super gentils avec moi.

Tu me diras comment ça va de ton bord.

Je te laisse, c'est le temps du n° 2. Ça fait mal à cause de ma fracture du bassin. Mais l'infirmière m'aide.

J'attends de tes nouvelles, le p'tit frère.

Mélie x

P.-S. : ** C'est sûr qu'elle fait exprès, avec ses histoires de pipi et caca dans le pot. C'est vraiment dégueu. Pas besoin de savoir ça, moi.

P.-P.-S. : ** Je suis quand même curieux. Comment une infirmière peut-elle aider quelqu'un à faire caca?? Elle va quand même pas tirer dessus??

JE DÉCIDE DE LUI RÉPONDRE.

De: lolo4428@(secret!!).com
À: melie_make_up@(secret!!).com

Mélie,

Je te niaisais, il n'y a pas de fantôme, tu le sais bien, ça n'existe pas. Mais tant mieux si je t'ai fait rire. C'était le but.

P.-S.: **Je ne vais quand même pas lui dire la vérité. Je ne voudrais pas avoir l'air fou, surtout aux yeux de ma demi-sœur.

Ici, mes activités préférées sont le baseball (c'est trop MALADE), l'hébertisme (avec la corde à TARZAN):
je t'expliquerai.

Le soir, on fait des activités de groupe, comme les jeux X-trêmes, le vol du drapeau:
je t'expliquerai.

Mais j'aime aussi quand on fait des feux de camp et qu'on mange des guimauves, c'est vraiment le fun:
je t'expliquerai.

Et certains moniteurs chantent des chansons. William aussi, et il joue de la guitare dans la cabane (rarement ailleurs, sauf quand il m'a chanté bonne fête):
je t'expliquerai.

Je ne t'ai pas dit ça (ou je te l'ai peut-être déjà dit?? M'en souviens plus), mais imagine-toi donc que William a perdu du poids. Pas juste cinq livres!!!! Il dit qu'il a perdu 25 LIVRES. Moi, je pense que c'est plutôt 50 LIVRES!!!! Il est tellement mince que je fais le saut à chaque fois que je le vois:
je t'expliquerai.

Oh, c'est parce qu'il est rendu avec nous au camp:
je t'expliquerai.

Pour le reste, je t'expliquerai quand je te verrai.
Je dois y aller, mes amis m'attendent.

Bons pipi et caca dans le petit pot. Haha.

P.-P.-S.: **Je suis mieux de faire une blague!!! De toute façon, j'ai un <u>très</u> bon sens de l'humour!!!

Lolo❌

Bon, maintenant, je peux retourner à mes amis.

*** Avant, je vais juste lire le message de Tutu, au cas où il y aurait une urgence.

P.-S.: **Dans le fond, il prend le temps de m'écrire, je vais <u>au moins</u> le lire.

P.-P.-S.: **Mais je ne répondrai pas.

P.-P.-P.-S.: **OK, peut-être juste un petit bonjour.

P.-P.-P.-P.-S.: **Et je vais lui demander comment il va.

<u>Je lis donc</u>:

À: lolo4428@(secret!!).com
De: turlututu@(secret!!).com

Chere Lolo,
Comment ca va moi ca va tres bien. j,espaire que tu a du fonne au quand.je m,enui bye ton frere qui taimexxoxoxo.

158

Il est gentil, même si c'est plein de fautes. Ça aurait dû être écrit comme ça:

Cher Lolo,

Comment ça va? (Ou: comment vas-tu?) Moi, ça va très bien. J'espère que tu as du fun (plaisir) au camp.
Je m'ennuie. Bye. Ton frère qui t'aime xxoxoxoxoxo.

C'est l'intention qui compte.
Je lui récris quand même, je ne suis pas sauvage.

À: turlututu@(secret!!).com
De: lolo4428@(secret!!).com

Salut Tutu,

Merci pour ton message, je vais très bien. Je te conterai ça à mon retour.

P.-S.: ** Pas tout, parce que ce serait trop long. Et j'ai quand même le droit de me garder des secrets.

C.-A-D.: **Victor Le Mort.**

Ton frère,
Lolo xoxoxoxoxoxoxoxoxoxox

P.-P.-S.: ** J'ai mis des « xoxoxo » parce que sinon il va brailler, comme d'habitude.

Bon, maintenant je peux aller rejoindre mes amis au lac.

Après le souper *(DES BONS TACOS AU BOEUF... MIAM!!!!)*, on part de ᗪᗩᗰᏀᗩ pour rejoindre les campeurs au feu principal. Un autre gros feu de camp avec des guimauves!! **ON A NOS LAMPES DE POCHE ET ON CHANTE!** On a beaucoup de plaisir, et on peut entendre les autres campeurs qui chantent et rient déjà au loin.

Et là, je tourne mon regard vers la forêt et je découvre **Victor Le Mort** qui m'observe en souriant. Il me fait un *TATA* de la main. Je m'arrête sec, et William me fonce dedans.

Will: Qu'est-ce que tu fais??

J'ai plusieurs options:

1) Je dis la vérité, toute la vérité, rien que la vérité.

2) Je garde **Victor Le Mort** pour moi. Je ne voudrais pas que mes amis l'effraient en tentant de lui sauter dessus.

3) Je ne sais pas quelles sont mes autres options, car je n'ai pas trop le temps d'y penser.

Moi: Euh... (Oh, zut... J'haïs ça, dire **euh**... Ça me trahit à tout coup.) Rien, je... je pensais que je venais de voir une étoile filante.

** Aucun rapport. Il ne fait pas encore assez noir.

Will: Lolo ?! ?! ?! Tu mens tellement mal !!!!!

P.-S.: ** J'avale ma salive. Il est temps que je prenne des cours pour apprendre à *BIEN MENTIR*. C'est vraiment l'enfer.

160

Will: C'est lui, han? Tu le vois encore?

Jonathan arrive. *OH NON!* Je suis cuit. Ils vont me poser *100 000 000 000* de questions.

Jonathan: Qui ça? *Victor Le Mort?*
Alec: Qui a voir *Victor Le Mort*?? Où il être?? C'est vous, Lolo, qui l'avoir vu??

P.-S.: ** J'observe *Victor*, qui me regarde de ses grands yeux cernés. J'ai l'impression qu'il ne veut pas que je signale sa présence à mes amis. C'est bizarre, mais on dirait que je communique avec lui. Par le regard, genre...

P.-P.-S.: ** Je prends sur moi.

Moi: Mais non!!! Je ne l'ai pas vu pantoute! Franchement, je vous le dirais. Voyons!!!
Joje: On le sait que tu nous le dirais, Lolo. Pis t'as pas l'air de mentir en ce moment.

P.-P.-P.-S.: **
FIOUOUOUOUOU!!!

* Au moins, je ne fais de peine à **personne**.

Will: Poche. J'aimerais trop ça, le voir. Faut se faire un plan.

Finalement, tout le monde est reparti. Je me retourne vers *Victor* et il me fait un clin d'œil.

P.-P.-P.-P.-S.: ** J'avoue que le
fait que je sois le seul à le voir m'intrigue.
Peut-être qu'il se fait juste un ami par
été et qu'il m'a choisi??

La soirée se passe super bien. Les moniteurs et
certains campeurs chantent des chansons. Il fait
chaud autour du feu, c'est très agréable. Je lève les
yeux vers le ciel et je vois...

**C'est vraiment magnifique. Je ferme les yeux quelques
instants pour graver ce moment dans ma mémoire.**

Je rouvre les yeux et il est là, de l'autre côté du feu,
parmi les campeurs. Victor Le Mort m'observe encore.
Tout le monde danse et chante autour de lui. Mais
personne ne semble le voir.

Madame Janine est là, à ses côtés. Elle me regarde aussi, un grand sourire aux lèvres. C'est spécial, comment je me sens à cet instant. En face du petit frère mort et de sa vieille grande sœur. Malgré leur différence d'âge, ils se ressemblent. En tout cas, je suis heureux d'avoir fait la paix avec Mémé.

** Je me demande si elle le voit.

Victor ne bronche pas. Il reste planté là, comme d'habitude. Mais il me sourit.

> ** Je dois avouer qu'il ne me fait plus peur. Ou presque.
> ** Peut-être juste un peu, mais, au moins, je ne sursaute plus lorsque je l'aperçois.
> ** Je me répète, mais c'est bizarre que je sois le seul à le voir.

J'ai une soudaine envie de me confier à mon cousin. Je me retourne vers lui. Des yeux, je lui fais signe de regarder derrière le feu. Il jette un coup d'œil puis revient sur moi en haussant les épaules. Je fronce les sourcils. **Victor** n'est plus là. Encore une fois, il a disparu.

Soudainement, on entend crier:

Quelqu'un: C'est **Victor le Moooort!!!!**

Tout le monde se tait. Mon cœur arrête de battre (façon de parler). Le campeur pointe le doigt vers la forêt... On voit le **FANTÔME** caché (à moitié) derrière un arbre.

Campeur n° 1: C'est lui, c'est lui!
Campeur n° 2: Oui, c'est lui!

Victor court d'arbre en arbre pour essayer de se sauver. Il est assez loin, alors je ne le vois pas bien.
Nous sommes tous figés. Joje me lance un regard, suivi de tous mes amis.

> ** Je suis content que tout le monde le voie, mais un peu déçu en même temps...

Campeur n° 3: Il est là! Il est là!

Je me tourne et je l'aperçois clairement. C'est bel et bien un **FANTÔME**...

Le **FANTÔME** se tient juste à côté de l'arbre, pour que tout le monde l'aperçoive. Nous sommes tous immobilisés de peur.

Il est blanc et cerné, et il doit avoir environ **20, 25 ANS**. Les filles se mettent à crier, les plus jeunes à pleurer. C'est la panique totale.

** Je suis perdu, car ce n'est pas **MON** Victor. Mais qui ça peut bien être??

Son visage me dit quelque chose, mais je suis incapable de mettre le doigt dessus. Alors, je m'avance, pour mieux le voir.

Joje: Lolo, qu'est-ce que tu fais?
Will: Arrête, t'es malade?

** Ah ben, ah ben, William qui a peur, maintenant...

Alec: Non, Lolo!!

Mais je continue à m'avancer alors que tout le monde me fixe sans broncher. Puis, je le reconnais. C'est...

LUCAS!!!! Mon moniteur!! Il est _déguisé_ en FANTÔME!!!

JE M'AVANCE VERS LUI. JE LE TOUCHE, ET IL SE MET À RIRE!

Lucas: Bravo, Lolo! Tu m'as démasqué!!

Madame Janine s'avance vers moi et me tend un t-shirt du KAMP P.

Mme Janine: Tiens, Charles. Pour toi! Parce que tu as démasqué le FANTÔME cette année!!

Les jeunes ont arrêté de pleurer et les filles, de crier. Les moniteurs sont tous autour de moi et m'applaudissent.

Moniteur-dont-j'oublie-le-nom: Bravo! C'est toi qui remportes le t-shirt du KAMP-P. On aime ça, jouer des tours aux campeurs, parfois!

Madame Janine m'observe. Puis, elle explique aux campeurs qu'il n'y a pas de danger, que les FANTÔMES n'existent pas...

(!?!?!?!?!?!?!)

...et que ce n'était qu'une blague. Lucas enlève sa casquette et tout le monde le reconnaît.

> ** Je me doutais bien que c'était lui, parce que j'avais reconnu ses chaussures. Je suis tout de même soulagé que ce soit vraiment lui, et non quelque CHOSE d'autre...

On retourne à la cabane après la soirée (je porte fièrement mon nouveau t-shirt).

Joje marche à mes côtés.

Joje: Alors, tout ce temps-là, c'était Lucas! Tu t'es vraiment fait avoir, le cousin, n'est-ce pas?

Et là, je suis incapable de répondre.

1) D'un côté, Lucas et ~~Victor~~ sont deux ~~personnes~~ choses différentes. Mais je ne sais pas si je dois le lui dire.
2) D'un autre côté, si j'~~aqui acques~~ acquiesce, mes amis ne me prendront plus pour un détraqué.

Moi: Oui. Vraiment fait avoir...

Lucas entre dans notre cabane quelques minutes plus tard...

Les gars sont tous en train de se brosser les dents dans la salle de bain, sauf Joje. Je suis derrière mon lit et je replace mes affaires.

Joje: Tu nous as bien eus, Lucas. Tu es vraiment marrant!
Lucas: Oui, c'est bien drôle. J'adore faire peur aux campeurs en blague.
Joje: En tout cas, tu as fait peur à mon cousin pendant des jours!!
Lucas: Comment ça, **DES** jours? C'était juste ce soir. J'aurais jamais fait traîner ça pendant plusieurs jours, voyons. Madame Janine n'aurait jamais accepté ça.
Joje: Ah non?
Lucas: Ben non!

** Je fige. Joje est perdu.

Heureusement, Max et Alec sont sortis des toilettes et ont ~~interromp~~ interrompu la conversation. Lucas va les rejoindre. Joje se retourne vers moi, l'air perplexe. Je lui souris. Il me sourit à son tour, mais il ne comprend pas. Je fais semblant de rien et me couche dans mon lit sans ajouter un mot.

Je m'endors en pensant à tout ce que j'ai vu et fait ici, au camp. Difficile de croire qu'il ne reste que deux jours...

CAMP, JOUR 12.

Je me réveille de bonne humeur!!
Journée <u>trooooooop</u> occupée, pas sûr que j'aurai le temps de tout

écrire. Je m'en vais déjeuner avec la gang. C'est trop le fun, la vie ici. Je veux tellement revenir l'an prochain. Pour tout l'été. Pour ça, il faudrait que mes parents gagnent à la loterie. **JE VAIS LEUR DEMANDER DE COMMENCER À ACHETER DES BILLETS.** On ne sait jamais.

On revient à DAMGA après une superbe journée.

Je me suis baigné, j'ai joué au soccer, au baseball **(J'ADORE ÇA)**, j'ai mangé (un hot-dog et un hamburger).

William n'a mangé qu'un cheeseburger, sans chips. Il a pris des crudités avec ça. Et une pêche comme dessert.

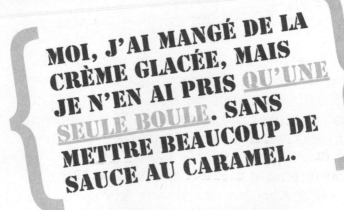

{ MOI, J'AI MANGÉ DE LA CRÈME GLACÉE, MAIS JE N'EN AI PRIS QU'UNE SEULE BOULE. SANS METTRE BEAUCOUP DE SAUCE AU CARAMEL. }

* * Même si j'en voulais plus, mais l'ex-gros me surveille tout le temps. C'est un peu gossant.

William: Fais attention, Lolo, si tu manges trop de sucre, tu peux développer le diabète.

P.-S.: ** J'ai le goût de rouler les yeux. C'est le genre de commentaire que je retrouverai dans deux jours = *de la part de ma mère!!!!* Pas besoin que ça vienne d'un ami.

Mais je ne dis rien (comme d'habitude), pour ne pas blesser William. Dans le fond, il a raison. Et il ne veut que mon bien.

CAMP, JOUR 13.

<u>En passant</u>: les nuages n'ont pas rapport avec la température. En temps normal, j'aurais mis des

parce qu'il fait super beau dehors. Mais les nuages sont là pour illustrer comment je me sens, car je quitte le camp aujourd'hui.

Maman est censée arriver en début d'après-midi. Honnêtement, j'espère qu'il y a beaucoup de trafic et qu'elle va avoir au moins deux JOURS de retard. Mais je ne suis pas assez nono pour penser que ça va vraiment se produire. J'ai quand même le droit de rêver, non??

Au lunch, on a eu de la pizza (miam!!).

> ** William en a mangé deux pointes. Mais c'est correct, parce qu'il n'en mange pas tous les jours. Il fait des exceptions, parfois. Il dit que, comme ça, la bouffe ne lui manque pas et il ne recommencera pas à manger en débile.

Je vais rejoindre mes amis à la piste d'hébertisme. Je passe devant SAKA quand madame Janine (la grande sœur) en sort.

Mme Janine: Ah! Charles! Tu as aimé ton séjour avec nous?

Moi: A-do-ré!!

Mme Janine: Tant mieux! J'espère bien te revoir l'an prochain!

Moi: Moi aussi.

Mme Janine: Bonne fin d'été!

Moi: Vous aussi, madame Le Mort... Euh, Lamarre.

Elle m'observe un moment, puis elle s'en va. Je la regarde s'éloigner sans dire un mot. Pauvre elle. **50 ANS** avec ça sur la conscience. Ça doit pas être facile à gérer, ça.

> ** Une chance que j'ai réglé mes propres affaires...

Je me retourne, direction: **FORÊT,** et mon cœur arrête de battre.

J'aperçois maman. Non seulement elle est là (**À L'AVANCE!**), mais elle semble très heureuse de me voir et elle s'approche de moi en me faisant des gros signes de la main... euh... GÊNANT.

SÉRIEUX, POURQUOI VIENT-ELLE SI TÔT?? Je suis encore occupé avec mes amis. Surtout que je ne sais pas quand je vais revoir Alec, Vincent, Jonathan, et... Victor...

P.-S. : ** Je fais semblant d'être content de la voir.
          ** Je le suis un peu, quand même.

Maman: Allô, mon beau Lolo!!! Oh, mon Dieu que t'as grandi!!!

P.-P.-S. : ** J'espère qu'elle ne me fera pas honte.

P.-P.-P.-S. : ** C'est sûr qu'elle va me faire honte.

Moi: Ça va, maman, toi?

OH OH°°° Elle me donne un bec sur le front et me serre dans ses bras.

LA HONTE!!

Maman: Allez! Viens me montrer ta cabane!
Moi: Ben là!! J'ai pas le temps, j'ai dit à Vincent, Alec et Jonathan que j'irais faire un dernier tour sur la piste d'hébertisme avant de partir.

P.-S.: ** La vérité est que
j'aimerais aussi voir **Victor Le Mort.**

Maman: Tu t'es ennuyé de moi, on dirait!
Moi: OH, MAMAN, commence pas.
Je reviens tantôt.

Je lui donne un bec sur la joue (pour éviter de l'entendre
chialer).

                    ** Puis je pars.

En marchant vers la forêt, je me sens un peu mal pour ma
mère. Mais, quand même, elle avait juste à ne pas arriver si tôt.

** J'haïs me sentir comme ça.

Je m'arrête, je réfléchis quelques instants, puis je me retourne
vers maman.

Moi: Tu viens?
Maman: Bien sûr que je viens!!!

Plusieurs minutes plus tard...

Maman est *TROP HOT!!!* Elle est super bonne dans les
installations de la piste d'hébertisme! Tous mes amis capotent
dessus tellement elle est *COOL!!!*

Alec: Je bien aimer votre mère, Lolo. Elle être super cool!
Moi: Oui, je sais!!

Maman: HAHAHAHAHAHAHAHAHAHAHAHA!!!!
Menteur!! (À Alec:) Il ne me trouve pas cool du tout, d'habitude!
Moi: C'est pas vrai!! T'es super cool.

P.-S.: ** Des fois,

P.-P.-S.: ** rarement,

P.-P.-P.-S.: ** jamais,

P.-P.-P.-P.-S.: ** ça lui arrive, d'être cool, quand même.

P.-P.-P.-P.-P.-S.: ** Des fois,

P.-P.-P.-P.-P.-P.-S.: ** rarement,

P.-P.-P.-P.-P.-P.-P.-S.: ** jamais,

P.-P.-P.-P.-P.-P.-P.-P.-S.: ** héhé.

Plus tard, mais vraiment pas assez:

Maman: Là, tu ne me trouveras pas cool, parce qu'il est temps de partir.

ARGH!!!!!!!!!

P.-S.: *** JAMAIS COOL!!!!*

Moi: NON!! J'ai pas le goût de partir!!!
Maman: Charles, ne commence pas. Faut retourner à Montréal, on a trois heures de route à faire. Les jumeaux et papa nous attendent, et j'ai dit à Mélie qu'on passerait par l'hôpital en revenant.

P.-P.-S.: ** Oh! Oui, c'est vrai. Je l'avais oubliée, elle.

Moi: Mais...
Maman: N'essaie même pas!!! Tu ne veux pas que je me choque.

OH QUE NON!!!!!!

** Je ne voudrais surtout pas qu'elle se choque devant mes amis.

** Elle n'est vraiment pas drôle quand elle se fâche. Et je perds mes moyens. J'ai beau vouloir lui répondre, ça ne sort jamais:

a] parce qu'elle me fait peur;
b] parce que je tremble devant elle;
c] parce que c'est ma mère et qu'elle m'a élevé en me disant que je ne devais jamais répliquer...
d] ... et que, comme je suis poli et bien élevé, je fais ce qu'elle me dit;
e] parce qu'elle me fait peur;
f] parce que je tremble devant elle;
g] héhé.

On retourne à DAMGA, pour que je montre ma cabane à maman.

** J'ai un petit pincement au cœur depuis qu'elle est arrivée. Je sais que ça veut dire que je vais bientôt quitter le camp et ça me chicote un peu de partir.

L'état de la cabane renforce ma tristesse. Tous les lits sont dépouillés de leurs draps ou sacs de couchage et les valises sont enlignées sur le bord de la porte. DAMGA se prépare déjà pour les prochains campeurs, qui ~~arrives~~ arrivent demain pour la dernière semaine de l'été. Je me demande si les prochains gars auront autant de plaisir que j'en ai eu avec mes amis.

Maman: Lolo?
Moi: Han?
Maman: Ça va ?
Moi: Oui, pourquoi?
Maman: Tu étais dans la lune. Ça t'embête de partir, n'est-ce pas?

{ P.-S.: ** ÇA Y EST, ELLE RECOMMENCE... }

175

Je hausse les épaules.

Maman: C'est normal. Tu as sûrement vécu des beaux moments ici.

> ** Oh non, elle va pas commencer à me parler des beaux moments. Car, pour moi, beaux moments = motton dans la gorge = hiiiiii trop-plein d'émotions.

J'entends la porte s'ouvrir. Vincent, Jonathan, Max, Alec, William et Joje sont là.

Maman: On doit partir, mon trésor. Ramasse tes choses. Je vais t'attendre dehors.

Alec me tend mon sac de couchage. Il me serre la main.

Alec: J'ai passé du bon temps avec vous, Lolo. Merci pour m'aider avec mon français.
Moi: Tu t'es amélioré!!!
Alec: Je vous écrire en français aussi. Et je conter la semaine prochain.

P.-P.-P.-S.: ** Vu qu'il habite loin, Alec reste encore une semaine.

Moi: Je suis sûr que tu auras du plaisir.
** Mais j'espère que non...

On se donne l'accolade. Puis, Vincent me serre la main.

Vincent: Oublie-nous pas, Lolo. T'es pas mal cool.
Jonathan: Oui, je suis content de t'avoir rencontré. Tu m'écriras, je vais te répondre.
Moi: Toi aussi, tu peux m'écrire.

Jonathan: T'as l'air meilleur que moi là-dedans, t'as toujours le nez plongé dans ton *JOURNAL*.

Moi: Euh... C'est un *CARNET*.

Jonathan: Même chose.

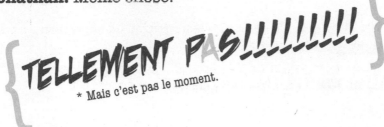

TELLEMENT PAS!!!!!!!!!

* Mais c'est pas le moment.

Il me prend dans ses bras et me serre fort.

Jonathan: Tu vas me manquer, toi. T'es un bon gars.

OH! OH!

** Je sens mes yeux chauffer.

Moi: OK. Faut que j'y aille.

C'est sorti un peu bête et les gars sont surpris.

Joje: Faites-vous-en pas. Il est ému, c'est pour ça qu'il a l'air bête. Il ne veut pas pleurer devant vous.

HEILLE, LE COUSIN!!!

** Maudit fatigant de ¿?%$#!@#¢!!

** Je ne t'ai _pas_ demandé ton avis!!!

Je me retiens de répliquer. (Malheureusement, il a raison. Mais il n'avait pas d'affaire à le dire tout haut.)

Will et Max (en même temps)**:** Oui, c'est vrai!!!

Bon, il est temps que je parte, parce que je vais perdre patience.

Moi: Bye, tout le monde. On s'écrit.

Je sors. **FIOU!!!** Le motton est encore là, mais mes yeux chauffent moins. Maman me regarde. J'évite son regard au cas où je redeviendrais trop ému.

Maman: Allez, les gars, on y va!

P.-P.-P.-S.: ** On ramène Joje, car ses parents assistent à un mariage aujourd'hui.

   ** Et les mariages italiens, c'est quelque chose. Il y a toujours au moins **2000** invités... euh, ben, **1500**. Hmm... Peut-être **500**?? Je ne sais pas, mais il y a beaucoup de monde. **JURÉ**.

P.-P.-P.-P.-S.: ** Je pense que c'est le fils de la cousine du cousin de la belle-mère de mon oncle (le père de Joje) qui se marie. Il s'appelle Alfonso, mais ils s'appellent tous Alfonso dans cette famille-là. Il y a Alfonso R., Alfonso de Bobby, Alfonso de Giuseppe, Alfonso Mexique (??), Alfonso Junior. En tout cas, ça ne finit plus. Oh! Pis il y a Alfonso Fon. Fon, c'est l'oncle de Joje. Lui, je sais lequel c'est, parce qu'on le voit souvent.

Le chemin qui mène à la voiture passe à travers le bois. Il me manque une dernière... euh, personne à sauver et je ne la vois pas. C'est sûr, ça fait exprès. Avec la malchance que j'ai, je ne le reverrai pas avant de partir.

Mon ami **Victor Le Mort** est introuvable. J'ouvre ma portière en le cherchant du regard. Il n'est NULLE PART.

Maman: Allez, Lolo, dépêche!

Je suis bien triste de ne pas le revoir avant de partir.

Je m'assois dans la voiture, très déçu. Maman démarre et on décolle. On reprend le chemin le long du bois. À l'intersection de la route principale, Joje me dit.

Joje: Regarde la pancarte du KAMP P. C'est la dernière fois que tu la verras cette année!

Je me retourne, et qui ne vois-je pas en dessous de la pancarte??

IL EST LÀ!!! EN CHAIR ET EN OS!!!!!

** Ça ne veut rien dire pour un FANTÔME, mais bon!!!

IL EST LÀÀÀÀÀÀÀÀ!!!

Il se tient directement devant moi et il me regarde en souriant. Je le vois me faire un signe de la main. Maman tourne. Je lève la main à mon tour pour saluer mon ami

FANTÔME.

Maman: Qui tu salues, Lolo?

Mais, avant que je puisse répondre, Joje prend la parole.

Joje: Oh, c'est sûrement son ami **Victor**.

Je me retourne vers mon cousin, qui me fait un clin d'œil complice. Je jette un dernier regard vers **Victor** et je lui souris. Pour la première...

ET DERNIÈRE FOIS.

Je suis très content d'avoir été le seul à le voir. Joje a raison:

Victor est mon ami.

À L'AN PROCHAIN, KAMP P.!

Rien de spécial à raconter sur le retour, sauf que maman a accepté de nous offrir une crème glacée quand on s'est arrêtés pour aller faire pipi. Joje avait envie. C'est un peu l'enfer, leur famille, ils ont toujours envie de n° 1, n° 2 ou n° 3 (voir page 51) quand on fait des voyages en voiture ensemble.

ON ARRIVE À L'HÔPITAL.

J'entre dans la chambre de ~~Mémé~~ Mélie. Elle est moins pire que je pensais, même si son nez est v**rrrrr**aiment enflé.

P.-S.: ****** C'est bizarre, mais j'ai le goût D'ÉCLATER DE RIRE en la voyant, même si je sais que ce n'est pas drôle. ~~Je peux comprendre pourquoi Simon ne la rappelle pas.~~

Moi: Comment ça va?

Mélie: Lolo! Je suis contente de te voir! Tu viens d'arriver??
Moi: Oui.
Mélie: C'est gentil de venir me voir.

> *P.-S.:* ** Honnêtement, j'ai juste hâte d'être à la maison. (Je me suis excusé, j'ai pas grand-chose d'autre à dire.) Mais bon, je vais faire semblant que je suis content de la voir. Je le suis un peu quand même, content, surtout de constater qu'elle est presque en un morceau.

Moi: Tu sors demain?
Mélie: Fort probablement! J'ai hâte.

> *P.-P.-S.:* ** Sérieux, j'ai rien à lui dire, on dirait.

> *P.-P.-P.-S.:* ** Finalement, je ne me suis pas du tout ennuyé d'elle. Je n'aurais pas dû lui écrire, parce que, maintenant, elle va sûrement penser qu'on est, genre, des amis.

Moi: Bon, ben, je vais te laisser te reposer.
Mélie: Tu pars déjà?

** Elle a le trémolo dans la voix. J'haïs ça, dans ce temps-là, j'me sens toujours ramollir.

Maman: Mais non, ma chérie, on vient d'arriver, on ne partira pas tout de suite, voyons!!

Mais Mémé me fixe. (Ses yeux sont pleins d'eau, c'est très troublant.)

JURÉ!!!!!!!!

** Elle et ma mère attendent manifestement une réponse de ma part. C'est **PAS COOL,** ça, de mettre autant de pression sur les épaules d'un garçon de 12 ans.

Bon, voici mes options:

1) Je fais semblant que ça me touche et je reste avec elle un peu plus longtemps, et tout le monde est heureux.

2) Je dis ce que je pense: que je suis fatigué, que je veux prendre un bain et relaxer avec FRILEUX à la maison (en mangeant du popcorn ou des chips, même si maman va sûrement dire NON, comme d'habitude).

3) Si je choisis l'option 1), je suis un héros et un bon demi-frère.

4) Si je choisis l'option 2), je suis un trou du c** et tout le monde va m'en vouloir.

5) Quand même! J'ai bien droit à mes sentiments et à mes opinions! De faire ce qui me tente, moi aussi! Je suis fatigué et je n'ai AUCUNEMENT le goût de rester.

Moi: Bien sûr que je veux rester, je ne voulais pas m'imposer si tu es fatiguée.

LOOOOOOOOOSER!!!!!

** Je donnerai mon opinion une autre fois.

        ** Euh... On verra.

Mélie: Mais non, ça me fait du bien d'avoir de la visite. Je m'ennuie _SOLIDE_ ici, toute seule.

Depuis quand elle dit ça, elle???? Elle me copie... Elle va quand même pas commencer à essayer de devenir mon amie!

    Elle est vraiment tombée sur la tête.

Moi: Tes amis sont pas venus te voir?
Mémé: Je ne sais plus trop. Juste quelques-uns.
Moi: Je suis désolé que Simon et toi...
Mémé: Qui?
Moi: Simon! Ton...

Mais maman me fait un signe et je comprends que je suis mieux de ne pas en parler.

Moi: Euh, Joje te fait dire bonjour, en passant.
Mémé: Joje... Joje... Je connais ce nom-là. (Elle se retourne vers maman.) C'est qui, lui, déjà?
Maman: Ton cousin, le fils de ma sœur Stef, qui est venue te voir il y a deux jours.
Mémé: Ah...

      P.-S.: ** Sérieux, on dirait qu'elle ne sait pas de qui je parle.

Moi: Je t'avais dit que William avait perdu beaucoup de poids??

Mémé: William qui?

Moi: Tremblay, mon ami LE GROS. Ben, l'ex-gros.

Mémé: C'est lui qui a une sœur laide qui s'appelle Geoli?

Moi: Non, ça, c'est Tommy.

Mémé: Tommy? T'as un ami Tommy, toi??

P.-P.-5.: ✱✱ OK, là, je pense qu'elle me niaise.

P.-P.-P.-5.: ✱✱ Mais elle a l'air trop sérieuse pour niaiser.

P.-P.-P.-P.-5.: ✱✱ C'est sûr qu'elle me niaise. Elle oublie le nom de mes amis, mais pas celui de la sœur de mon ex-ami??

Maman: Mais oui, ma chérie, tu le connais. Mais c'est sûr que ça fait longtemps qu'il n'est pas venu à la maison. On voit plus souvent Maxime et William. William, c'est celui qui a le chalet à Tremblant que Lolo aime tant.

Mémé me fixe et je vois des gros:

dans ses yeux. Là, je sais qu'elle ne niaise pas.

MÉGA MALAISE

J'avale un peu croche. Je voulais faire des blagues, mais je pense que le moment n'est pas très approprié.

P.-S.: ** Je me reprendrai une autre fois.

Mémé: William. Ah oui! William, il est cute, lui. Je l'aime bien.

DEUX (pénibles) HEURES PLUS TARD...

Dès que j'ouvre la porte, FRILEUX me saute dessus et me lèche tout partout. Moins de HUIT secondes après, c'est au tour des jumeaux (pas de me lécher, mais de me sauter dessus). Ça ne fait pas une minute que je suis revenu qu'ils me tapent déjà sur les nerfs. ~~L'année va être longue.~~

1 289 374 RÉPONSES PLUS TARD...

** C'est environ le nombre de questions que les jumeaux m'ont posées.

Je referme la porte de ma chambre derrière moi et je respire enfin librement.

Aaaaaaaaahhhhhhhh!!!!!

Je suis dans ma chambre, en compagnie de Friteux, qui me suit depuis mon retour.

{ Je suis assis par terre, au pied de mon lit, collé sur FRITEUX, qui se laisse flatter. }

Je reprends mon carnet:
Ça me fait drôle d'être revenu. Je suis content, mais triste en même temps. En fait, pas triste, plutôt nostalgique. Je me sens changé, après avoir passé ces deux belles semaines avec mes amis, mais aussi m'être fait de nouveaux amis.

Je ne suis pas un « écriveux », je me demande si je vais rester en contact avec ALEC, VINCENT et JONATHAN. Chose certaine, je vais essayer de me forcer, parce que c'est vraiment le fun d'avoir des nouveaux amis. Et, surtout, si je retourne au KAMP P. l'an prochain, je les reverrai sûrement.

Demain, je commencerai un nouveau carnet, car celui-ci est plein. Il est plein de beaux souvenirs de mon été, rempli de moments mémorables. Je rentre au secondaire et je suis bien excité. Un peu nerveux, aussi, mais c'est normal, je crois. Je noterai comment ça se passe. En attendant, je vais me coucher, pas parce que maman me le demande, mais parce que je suis fatigué. Fatigué, mais heureux de mon été.

Bonne nuit.

REMERCIEMENTS

ENCORE UNE FOIS, il faut remercier les amis de **CHARLES-OLIVIER** pour toutes leurs histoires qui nous ont (largement!!) inspirés.

JOJE, tu as été notre premier lecteur, et tes commentaires **PERTINENTS** nous ont aidés!!

ANNIE OUELLET: Ta **MÉGA HOT** direction littéraire nous a été très précieuse pour la tournure de l'histoire!! Merci beaucoup pour ton appui et ton apport durant l'écriture de cette deuxième aventure de Lolo!!

Merci à **AIMÉE VERRET** pour ton **OEIL DE LYNX** lors de la révision du texte ;-).

MARTIN BALTHAZAR, sans toi, toute cette **BELLE AVENTURE** n'aurait jamais vu le jour. Merciiiiiiiiiiii!!!!!

CATRIONA et **CHRISTIAN**, vous êtes non seulement une **INSPIRATION**, mais vous faites partie de la **RÉUSSITE** de ce roman en nous supportant chaque jour... et en riant de nos blagues!

CARO ET LOLO

DISTRIBUTION EN AMÉRIQUE DU NORD:
Les Messageries ADP*
2315, rue de la Province
Longueuil (Québec) J4G 1G4
Tél: 450 640-1237
messageries-adp.com
*filiale du Groupe Sogides inc.,
 filiale de Québecor Média inc.

DISTRIBUTION EN EUROPE
Librairie du Québec/DNM
30, rue Gay-Lussac
75005 Paris
Pour les commandes: 01 43 54 49 02
direction@librairieduquebec.fr
librairieduquebec.fr

Cet ouvrage a été achevé d'imprimer au Québec
sur les presses de Marquis Imprimeur
en octobre deux mille dix-huit
pour le compte des Éditions de La Bagnole.